MW00983328

MAS
OBJETOS
QUE ENSEÑAN DE
DIOS

Mensajes
para
Niños

José Luis Martínez

CASA BAUTISTA DE PUBLICACIONES

CASA BAUTISTA DE PUBLICACIONES

7000 Alabama Street, El Paso, TX 79904, EE. UU. de A.

www.casabautista.org

Nuestra pasión: Comunicar el mensaje de Jesucristo y facilitar la formación de discípulos por medios impresos y electrónicos.

Ediciones: 1992, 1995, 1996, 1998, 2000,
2001, 2003, 2006, 2007
Décima edición: 2008

Clasificación Decimal Dewey: 252.53

Tema: Sermones para niños

ISBN: 978-0-311-44008-5
C.B.P. Art. No. 44008

1 M 11 08

Impreso en Colombia
Printed in Colombia

DEDICATORIA

A los pastores y niños
del mundo hispano
y
a Silvia, David
Elías-Adolfo y Marta-Olga.
Su presencia en nuestro hogar
hizo muy real la iglesia de
los niños.

INDICE

PREFACIO

La buena acogida que ha tenido el primer libro de *Objetos que enseñan de Dios,* escrito por Cecilio y María McConnell, me ha convencido de que las iglesias evangélicas hispanas están cada vez más interesadas en involucrar activamente a los niños en la hora del culto. Incluso los adultos se gozan y aprenden durante esos minutos. Es un momento espiritual sencillo y breve que todos terminan esperando y amando.

Crea también una imagen diferente del pastor y del culto en los ojos de los niños, quienes frecuentemente consideran al pastor como el primer responsable de que tengan que estar allí amarrados a la banca sin hablar ni moverse durante todo el culto. Es bueno que vean y sientan que se piensa en ellos y que se les presta atención. Así el culto empieza a ser significativo para ellos y van aprendiendo las grandes verdades bíblicas de manera atractiva y divertida.

Al ser llamados para pasar adelante y acercarse corriendo al estrado van percibiendo que un mensaje y bendición les espera en el altar. Se les va haciendo familiar y lo van viendo como un lugar donde se imparten instrucciones importantes para la vida.

Además, está la actitud del propio Cristo hacia los niños. En Marcos 10:14, leemos: "Al verlo, Jesús se indignó y les dijo: 'Dejad a los niños venir a mí, y no se lo impidáis; porque de los tales es el reino de Dios.' " Este versículo nos presenta una de las escenas más tiernas y simpáticas de la Biblia. Jesús, en contra de la opinión de sus discípulos adultos, animó a los niños a que se acercaran a él, los tomó en sus brazos, los sentó en sus rodillas, puso sus manos sobre ellos y los bendijo. Parece como si el Maestro estuviera sugiriendo a pastores y predicadores que les prestemos más atención a los niños.

Tenemos que reconocer que nuestros cultos de adoración y predicación son generalmente programados para los adultos.

Poca atención se presta, en la mayoría de los casos, a los niños. Quizá sea conveniente que sigamos el ejemplo del Maestro.

Este libro aparece, como el anterior, como un semillero de ideas para los pastores, y con la intención de animarles a que piensen en los niños y les dediquen unos minutos del culto, haciéndoles así sentirse una parte importante del mismo.

Los maestros de la escuela dominical y de la Escuela Bíblica de Vacaciones encontrarán también estos materiales de utilidad para sus clases con los pequeños.

En algunos casos las ideas expuestas se podrán usar prácticamente como aparecen, pero en otros será imprescindible hacer las debidas adaptaciones. Queda al discernimiento y discreción de cada pastor o maestro hacer las necesarias adaptaciones de contenido, vocabulario y extensión que convengan para su grupo de niños.

¿Cómo empezar un mensaje para los niños? El método que se propone en estos libros es simple y eficaz. Consiste en presentar una verdad bíblica mediante un objeto conocido por los niños, que les despierta el interés y fija su atención. La experiencia es que suelen responder, en la mayoría de los casos, con curiosidad e interés. El propósito esencial, que no debe perderse nunca de vista, es relacionar el objeto con una verdad de la Palabra de Dios que se quiere enseñar a los niños para que la asimilen y la pongan en práctica.

Un mensaje de tres a cinco minutos para los pequeños en el culto principal del domingo, en el que pueden participar niños de cuatro a diez años, puede ser una experiencia de adoración muy significativa para todos. Ese mensaje, bien planeado y bien presentado, puede transformarse en uno de los momentos más importantes de la adoración.

Pero un mensaje para niños que resulte efectivo no sucede así como así. La experiencia demuestra que debe procederse de cierta manera. Indico a continuación algunas directrices que he observado en aquellos que se han especializado en esta área del ministerio, y que ahora están avaladas por mi propia experiencia personal reciente. Aunque algo de esto hubo siempre en mí, pues yo era el narrador oficial de cuentos en mi familia; nuestros niños casi nunca se dormían sin recordarme que tenía que contarles el "cuento". Más tarde, al empezar con esta actividad nueva en la iglesia, ellos fueron el laboratorio donde se experimentaban las ideas. La pregunta frecuente de los sábados en la noche era: "Papá, ¿qué has preparado para los niños en el culto de mañana?" Los expertos y la experiencia recomiendan que. . .

1. Hay que darle la importancia que tiene y prepararlo bien.
2. Debe ser sencillo. Hay que recordar que se está hablando a niños y que ellos viven en un mundo diferente al de los adultos.
3. Debe ser breve, de tres a cinco minutos como máximo.
4. Hay que hablar teniéndolos cerca y mirándolos a los ojos. Invítelos a venir al frente y que se sienten en el suelo a su alrededor.
5. Conviene usar un objeto familiar a los niños que les ayude a visualizar y recordar la enseñanza impartida. Usar un objeto apropiado obra maravillas.
6. Hacer preguntas a los niños y esperar sus respuestas. Esto aviva su interés y les anima a la participación.
7. Cuidar mucho los gestos y tonos de voz, que sean los apropiados.
8. Cabe esperar sorpresas de parte de los niños. Es un desafío conservar su atención y controlar la hiperactividad y conversación de algunos.
9. Termine siempre con una oración sencilla y breve, pidiendo la bendición de Dios sobre los niños y que su Espíritu aplique a sus vidas la verdad enseñada.

Las ideas para mensaje que aparecen en este tomo no son todas mías, algunas de ellas las empecé a escuchar del doctor C. W. Bess, pastor hace años de la Iglesia Bautista Central de Jacksonville, Texas, y al doctor J. E. Trull, quien fue pastor de la Primera Iglesia Bautista de habla inglesa en El Paso, Texas. Empecé a desarrollar estas ideas y otras propias, adaptándolas al contexto hispano, en estos diez últimos años de mi ministerio pastoral en la Iglesia Bautista del Centro y en la Iglesia Bautista Thomas Manor de El Paso. El problema está en que después de tantos años de usar y mezclar ideas a veces ya no sé qué es lo que corresponde a cada cual; además de que algunas ideas básicas las he visto desarrolladas, con diferente estilo y palabras, por ambos pastores y otros autores. Pero quiero dejar aquí constancia de la deuda especial que tengo con estos dos hermanos pastores, maestros de los mensajes para niños; de ellos, sin duda, recibí mucha inspiración y ayuda. Compartí con dichos pastores este proyecto desde el principio de su gestación y ambos me animaron a llevarlo a cabo por amor de los niños hispanos, de los ministros que enfrentan semejante desafío y de las iglesias que sienten que el culto de adoración y predicación es para *todos*.

José Luis Martínez

1

LOS CLAVOS DEJAN AGUJEROS

*En mi corazón he guardado tus dichos para no pecar
contra ti* (Salmo 119:11).

Verdad a enseñar: El pecado, al igual que los clavos al clavarlos,
dejan señales que no desaparecen aunque saquemos los
clavos.

Objetos: Pedazo de madera nueva y limpia, clavos grandes, un
martillo y tenazas.

Me contaron una vez de un niño que se portaba mal. Decía
mentiras, se peleaba con otros niños, no quería ir a la escuela,
desobedecía a la mamá, hacía burla a los vecinos y les tiraba
piedras a los animales.

La mamá, para corregirlo, decidió que por cada nueva falta
que cometiera clavaría un clavo en la cabecera de su cama, y la
mamá cumplió su palabra. Casi cada día tenía que clavar un
clavo. *(Hacer en este punto la operación de clavar clavos en la
pieza de madera que lleva o dejar que los niños los claven.)*

Al cabo de un tiempo, el niño vio que en la cabecera de su
cama había ya muchos clavos. Como sabía lo que significaban se
sintió muy avergonzado, especialmente cuando tuvo que explicar
a unos amiguitos el porqué de los clavos.

Se sentía tan mal que aquella noche al acostarse le pidió a la
mamá que le quitara los clavos y prometió que se portaría bien.
La mamá que lo amaba mucho, como casi todas las mamás,
arrancó los clavos. *(Empezar a arrancar clavos mientras habla.)*
Al principio el niño se sintió muy contento, pero después se le
veía triste. La mamá le preguntó:

—¿Qué te pasa? ¿No estás contento?

—Sí que lo estoy, mamá —respondió el niño—. Pero estoy triste también porque veo que a pesar de haber quitado los clavos, quedan los agujeros.

Y es cierto, cada vez que hacemos algo malo, aunque seamos perdonados, no podemos evitar que el mal ya nos haya dañado y marcado. ¿Recordáis qué bonita estaba la madera al principio, cuando era nueva y limpia y no tenía agujeros? Pero ahora está un poco fea. Así pasa con nosotros cuando hacemos el mal. Por eso el salmista decía: "En mi corazón he guardado tus dichos para no pecar contra ti."

Oración: Señor, gracias por tu Palabra que nos guarda de pecar contra ti. Enséñanos y ayúdanos a apartarnos del mal para que nuestra vida no se llene de agujeros que la dañen y la pongan fea. Amén.

2

PESADO Y HALLADO FALTO

Pesado has sido en balanza y has sido hallado falto (Daniel 5:27).

Verdad a enseñar: Cuando Dios nos pesa en su balanza ninguno damos el peso requerido, siempre somos hallados faltos. Pero con Cristo a nuestro lado, sí que somos hallados justos.

Objeto: Una balanza o aparato para pesar.

Solicite a un médico amigo que le preste la báscula de pesar que suelen tener en los consultorios para pesar a los pacientes. Si no es posible puede usar una de las de uso doméstico. En última instancia también puede servirle una vieja balanza de platos y pesas, pero entonces tendrá que enfocarlo todo de otra manera diferente.

Dada la tendencia de los niños pequeños a entender las cosas en forma literal, conviene tener cuidado con esta historia a fin de que perciban el sentido verdadero de lo que se les quiere enseñar.

Tenga la báscula ya preparada en el peso ideal y correcto que corresponde a un hombre promedio y bien formado del país. Quizá 65-70 kilos. Cuelgue en ese lugar del "peso ideal" un letrero que diga: "Ley de Dios." Usted puede llevar sobre su pecho otro letrero que diga: "Jesucristo."

Relate a los niños en forma sencilla y breve el encuentro del profeta Daniel con el rey Belsasar, y cómo este último había sido pesado por Dios en su balanza y fue hallado falto. Esto es absolutamente cierto de todos los seres humanos. Nadie es tan bueno que dé exactamente el peso que exige la Ley de Dios. Así que todos estamos en deuda para con Dios y merecemos el castigo.

Invite a unos niños a que suban a la balanza para ser pesados. Todos, evidentemente, pesarán menos de lo que se ha señalado como ideal y correcto. Se demostrará así que todos quedan cortos de lo que Dios espera y pide, pero con Cristo a nuestro lado en la balanza sí que damos el peso que exige la Ley de Dios. En este punto, usted que hace de Jesucristo, se sube a la báscula con el niño, demostrándose así la efectividad de la ayuda de Cristo.

Esta dramatización, si se prepara bien, puede ser impresionante y aleccionadora para todos. Concluya diciendo que podemos dar gracias porque los creyentes no somos pesados solos en la balanza de Dios, sino que Jesucristo nos acompaña. El murió por nosotros en la cruz, pero ahora vive y está a la diestra del Padre para ayudarnos a cada uno de nosotros. Si permitimos que Cristo entre en nuestro corazón no hay razón para temer ser encontrados faltos de peso en la balanza. Con Cristo el hombre es justificado delante de Dios.

Oración: Señor, gracias porque sabiendo tú que estábamos escasos de peso, has provisto que tu Hijo Jesucristo nos ayude para dar el peso necesario en tu balanza. Con Cristo a nuestro lado estamos bien delante de ti. Amén.

3

EL PECADO QUEMA COMO EL FUEGO

Porque la paga del pecado es muerte; pero el don de Dios es vida eterna en Cristo Jesús, Señor nuestro (Romanos 6:23).

Verdad a enseñar: El pecado, al igual que el fuego, quema cuando jugamos con él.

Objetos: Mesa, plato grande y hondo, alcohol, algodón, cerillos, toalla. (Preparar la mesa con el plato hondo, impregnar una bola de algodón con alcohol, dejarla dentro del plato, prenderle fuego. Al final apagar el fuego sofocándolo con la toalla.)

Preguntar: ¿Qué me pasaría si meto la mano en el fuego? *(Hacer como que la mete y esperar la respuesta.)* ¿Quién quiere meter la mano conmigo? *(Invitarles a que metan la mano en el fuego, vigilando atentamente para que ninguno se queme.)*

¿Os habéis quemado alguna vez? ¿Es malo quemarse? Sí, daña y duele mucho, y pueden quedar cicatrices. Pero yo os digo que hay otra cosa que quema, daña y duele más. ¿Sabéis qué es? *(Esperar respuestas.)* Es pecar, es hacer lo malo. ¿Qué es hacer lo malo? Es decir palabras feas, pegar a los niños, escupirles, quitarles sus juguetes. Eso es hacer lo malo, eso es pecar. Eso ensucia, quema y daña el corazón. ¿Hacéis vosotros lo malo?

¿No habéis escuchado decir a vuestra mamá: "No juegues con el fuego porque te quemarás"? Tampoco hay que jugar con el pecado. La Biblia dice: "Porque la paga del pecado es muerte; pero el don de Dios es vida eterna en Cristo Jesús." Eso quiere decir que las consecuencias del pecado son siempre malas, pero lo que Dios nos da es siempre bueno. Si alguna vez hacéis lo malo, recordad que Dios os ama y quiere sanaros.

Oración: Señor, gracias porque tú nos amas y nos instruyes. Gracias porque nos enseñas que el pecado, al igual que el fuego, nos puede dañar si jugamos con él. Enséñanos y ayúdanos a guardar tu Palabra en el corazón para no pecar contra ti.

4

LA RAIZ DE TODOS LOS MALES

Porque el amor al dinero es raíz de todos los males (1 Timoteo 6:10a).

Verdad a enseñar: Podemos quedar atrapados por nuestra propia codicia (deseo malo de poseer cosas).

Objetos: Jarro vistoso y con una moneda dentro. Que tenga la boca lo suficientemente ancha para que quepa abierta la mano de un niño, pero no con el puño cerrado.

¿Qué es esto? *(Mostrar el objeto.)* ¿Qué hay dentro? *(Hacerlo sonar.)* Supe de un niño que una vez fue a visitar a sus abuelitos y sobre una mesa vio un jarro muy bonito, parecido a este. Lo tomó en sus manos y al moverlo notó que había una moneda dentro. Su abuelita entró en ese momento y le dijo que se fuera a jugar a otro cuarto y que, por favor, no entrara allí porque tenía muchos objetos valiosos y no quería que los tocasen ni que se rompiesen.

El niño obedeció, pero aunque se fue lejos, ¿sabéis en qué pensaba? No podía olvidarse de la moneda que había escuchado sonar dentro del jarro. Cuanto más pensaba en ello, más lo deseaba. Y aunque su abuelita le había dicho que no volviera a aquel cuarto, en cuanto pudo se fue corriendo para allá para apoderarse de la moneda.

Agarró el jarro, metió la mano y cogió la moneda. Al sentir la moneda en su mano su corazón empezó a latir con fuerza y sus ojos se abrieron como platos. Pero, ¿sabéis lo que pasó cuando quiso sacar la mano? ¡No pudo! ¡Su mano estaba atrapada dentro del jarro! *(En este punto, para mejor ilustrar lo que se quiere enseñar, pedir a uno de los niños que meta la mano en el jarro y coja la moneda.)* Aunque el niño del cuento trató de sacar la mano no pudo hacerlo. Se asustó, empezó a llorar y llamó a su abuelita. Esta también se asustó, porque aunque probó de varias maneras, no pudo ayudar a su nieto.

La abuelita llamó entonces a un vecino que siempre tenía

15

solución para casi todo. Al ver lo que pasaba, pronto se dio cuenta de cuál era el problema, y preguntó al niño qué era lo que tenía en la mano. El no quería responder porque le daba vergüenza, pero al fin confesó que tenía la moneda. Aquel vecino le dijo: "En cuanto sueltes la moneda podrás sacar la mano del jarro." Y así sucedió. El niño abrió la mano, soltó la moneda, y así se le hizo más fácil sacar la mano y quedó libre. El niño pensó que él tenía la moneda, pero no se dio cuenta de que la moneda le tenía atrapado a él.

La Biblia enseña que el amor al dinero es raíz de todos los males. El dinero en sí mismo no es malo, pero sí lo es el amor al dinero. Algunas personas lo aman tanto que hacen cualquier cosa para obtenerlo, llegan a mentir, robar o matar. Lo que entonces sucede es que ellos han quedado atrapados por el dinero.

Oración: Señor, gracias porque tú nos enseñas que podemos quedar atrapados y dominados por el deseo de poseer cosas. Ayúdanos a amarte a ti de tal manera que sólo tú, y nada más, controle nuestra vida. Amén.

5

DIOS RECUERDA

Pero yo os digo que en el día del juicio los hombres darán cuenta de toda palabra ociosa que hablen. Porque por tus palabras serás justificado, y por tus palabras serás condenado (Mateo 12:36, 37).

Verdad a enseñar: Dios escucha y recuerda toda palabra que sale de nuestra boca.

Objeto: Grabadora o magnetófono. (Tener la grabadora preparada y grabar parte de la conversación que sostenga con los niños.)

¿Vosotros tenéis lengua? A ver, enseñádmela. ¿Para qué sirve la lengua? *(Esperar las respuestas.) (Mostrarles la graba-*

dora y preguntarles.) ¿Sabéis qué es esto? ¿Para qué sirve? Sirve para grabar todo lo que decimos. Este aparato es bastante conocido y usado hoy, pero cuando yo era niño todavía no se podía comprar en los almacenes.

¿Sabéis que con las palabras que decimos podemos hacer mucho bien o mucho mal? Si les decimos a las personas palabras bonitas se sienten contentas, pero si les decimos palabras feas, se sienten tristes y enojadas.

¿Podéis recordar cada palabra de lo que habéis dicho? Yo no, no tengo tan buena memoria. Vamos a escuchar lo que hemos grabado. (*Regresar y tocar un poco lo grabado.*)

¿Sabéis que Dios escucha y recuerda cada palabra que decimos? Dios siempre recuerda las palabras buenas y malas, las que decimos en voz alta o en voz baja. La Biblia nos enseña que un día serán dadas a conocer cada una de las palabras que hayan salido de nuestros labios.

Nada es difícil para Dios. Si nosotros somos capaces de fabricar una máquina que graba y recuerda palabras, Dios puede hacernos recordar todo lo que hayamos dicho. Esto nos enseña que debemos ser cuidadosos con lo que decimos. Una máquina que nunca olvida nos habla de un Dios que siempre recuerda.

Oración: Señor, gracias porque tú lo sabes y lo oyes todo, esto nos ayuda a ser cuidadosos con nuestras palabras. Gracias también porque tú te acuerdas por nombre de cada uno de nosotros. Gracias porque cuando tú perdonas, olvidas; y la sangre de tu Hijo Jesucristo nos limpia de todo pecado.

6

EL TELEFONO DE DIOS

Orad sin cesar (1 Tesalonicenses 5:17).

Verdad a enseñar: Podemos hablar con Dios y él ha provisto la manera de hacerlo.

Objeto: Un teléfono auténtico que se pueda mostrar a los niños.

¿Sabéis qué es esto? ¿Para qué sirve? (*Esperar respuestas.*) Sí, para hablar con las personas que no podemos ver. ¿Os gusta hablar por teléfono? Sí, yo sé que os gusta. A todos nos gusta, especialmente con las personas que amamos y que no vemos a diario. ¿Sabéis que hay un teléfono especial para hablar con Dios? ¿Cómo se llama ese teléfono? Sí, la oración es el teléfono que Dios nos ha dado para hablar con él y quiere que lo usemos frecuentemente. El nos escucha aunque no le veamos. ¿Habláis vosotros con el Señor para darle gracias, contarle cosas, pedirle perdón, solicitar su ayuda para los papás, los maestros y el pastor?

El teléfono de Dios es el mejor del mundo. Nunca se descompone; nunca da la señal de ocupado, siempre podemos hablar con Dios; el Señor nunca descuelga su teléfono porque esté cansado o fastidiado; y, además, con el teléfono del Señor no hay que pagar nada, ¡es gratis! Podemos hablarle cuantas veces lo deseemos y tanto como necesitemos. ¿Verdad que es maravilloso un teléfono así?

¿Habláis vosotros con el Señor usando su teléfono? ¿Cuándo lo hacéis? (*Esperar respuestas.*) Hablar con el Señor es siempre bueno para cada uno de nosotros. Acordaos de hacerlo en esta semana y el domingo próximo me platicáis acerca de vuestra experiencia. Recordad que el apóstol Pablo nos recomienda que hablemos con Dios frecuentemente, y él mismo lo hacía.

Oración: Señor, gracias porque nos has dado el teléfono de la oración y así podemos hablar contigo. Te damos gracias también por el don de hablar para comunicarnos con las demás personas. Ayúdanos para que nunca olvidemos hablarte cada día. Amén.

7

EL CEPILLO DE DIOS

Lávame, y seré más blanco que la nieve (Salmo 51:7b).

Verdad a enseñar: Lo mismo que cuidamos de los dientes para que estén limpios y sanos, y no perderlos, debemos cuidar del corazón.

Objeto: Un cepillo de dientes.

¿Qué es esto? (*Mostrar el cepillo de dientes y esperar respuesta a esta y otras preguntas.*)

¿Para qué sirve? Para asear la dentadura y evitar así las enfermedades de los dientes y encías. Yo sé que los papás os dicen que os limpiéis la boca, pero me parece que a vosotros a veces se os olvida. Es muy importante que lo hagáis todos los días después de las comidas. Nunca os quejéis ni protestéis porque os lo recuerdan. Es bueno y necesario, así que hay que hacerlo. Es un buen hábito, como también lo es el de venir a la casa de Dios todos los domingos. No preguntamos por qué, ni nos quejamos, simplemente lo hacemos. Es un buen hábito que nos hace mucho bien, pues nos ayuda a prevenir las caries del alma.

¿Sabéis qué es una carie? Son esos agujeros que se forman en los dientes y muelas debido a la suciedad y a los microbios. Si no nos limpiamos los dientes puede llegar un momento en que nos duelan mucho, tanto que nos los tengan que sacar y perderlos para siempre. ¿Sabéis que Dios tiene un cepillo y pasta especiales para limpiar el corazón? Porque el corazón también se ensucia y se enferma. ¿Sabéis cómo? Cuando somos desobedientes, decimos mentiras, quitamos las cosas a otros niños o les pegamos.

¿Queréis vosotros perder el corazón? ¡Seguro que no! La mejor manera de evitarlo es hacer lo que Dios nos manda en su Palabra. El rey David le pedía al Señor: "Lávame, y seré más blanco que la nieve." Y en el Salmo 119:11, dice: "En mi corazón he guardado tus dichos para no pecar contra ti." Esta palabra de Dios tenemos que aplicarla cada día al corazón, de igual manera que aplicamos a diario el cepillo y la pasta de dientes a nuestra dentadura.

Oración: Señor, gracias porque tú nos amas y nos provees de recursos para conservar sanos y limpios nuestros dientes. Gracias también porque tú nos das un cepillo y jabón especiales para limpiar nuestro corazón sucio por el pecado. Eres maravilloso, Señor. Amén.

8

LAS SEÑALES DE TRAFICO DE DIOS

Lámpara es a mis pies tu palabra, y lumbrera a mi camino (Salmo 119:105).

Verdad a enseñar: En la Biblia encontramos las señales de tráfico de Dios para los caminos de la vida del hombre.

Objetos: Señales de tráfico. (Proveerse de algunas señales de tráfico, o hacerlas con cartón y pintura de colores. Usar sólo dos o tres de las más comunes y necesarias.)

Hoy vamos a hablar de las señales de tráfico. Todo aquel que quiera conducir un vehículo por las calles y carreteras de nuestro país necesita aprender muy bien lo que significan estas y otras señales de tráfico. Recordemos que son para nuestra seguridad, nunca para fastidiarnos. Estas señales nos van a decir qué hacer en cada momento.

¿Os gustaría manejar el auto de papá? ¿Sabéis qué se necesita para poder hacerlo? (*Esperar respuestas.*) Asegúrese de que escuchan las respuestas correctas: 1. Conocer las normas de tráfico. 2. Saber manejar el vehículo. 3. Tener licencia de manejar. 4. Tener seguro de automóvil. 5. Saber controlarse a sí mismo y respetar los derechos de los demás.

Algún día vosotros iréis al Departamento de Tránsito para examinaros y obtener así vuestra licencia de manejar un vehículo. Allí os preguntarán por el significado de estas señales y otras muchas más. Os pedirán que las identifiquéis rápidamente a primera vista. Veamos qué tal conocéis vosotros estas señales. (*Muéstreles las señales que lleva y pídales que le digan lo que significan.*)

Todos damos gracias porque tenemos estas señales en calles y carreteras. Así podemos asegurarnos de no cometer errores graves. Pero yo estoy aún más contento y agradecido porque Dios me ha dado otras señales para que yo pueda caminar por la vida con paz y felicidad. Están en la Biblia. Allí encuentro muchos consejos y avisos de Dios para mi bien y seguridad. Escuchad cómo la define el salmista: "Lámpara es a mis pies tu palabra, y lumbrera a mi camino." (*Leer de la Biblia.*)

¿Qué pasaría si fuerais de noche por las calles sin ninguna luz? (*Esperar respuestas.*) Dios no deja nunca nuestro camino obscuro y sin dirección. Nos avisa de los peligros que están por delante. La Biblia contiene todas las señales básicas de Dios para tener una vida feliz y segura en la tierra. ¿Recordáis vosotros algunas de estas señales? (*Esperar respuestas.*) Ayudarles a recordar algunos mandamientos de Dios. Por ejemplo: "Honra a tu padre y a tu madre, para que tus días se prolonguen sobre la tierra." "Todo lo que queráis que los hombres hagan por vosotros, así también haced por ellos."

Oración: Señor, gracias porque tu Palabra es como una luz en la obscuridad que nos ayuda a no tropezar ni perdernos en la vida. Ayúdanos a conocerla y ponerla por obra. Amén.

9

LA TRAMPA DEL DIABLO

Sed sobrios y velad. Vuestro adversario, el diablo, como león rugiente, anda alrededor buscando a quién devorar (1 Pedro 5:8).

Verdad a enseñar: El diablo tiene siempre la intención de atraparnos, pero Dios puede mantenernos a salvo si vivimos en obediencia a él.

Objetos: Una trampa corriente, casera, para cazar ratones, que esté cebada con un pedazo de queso. Un ratón de juguete. (Instale la trampa en un tablero de madera, de forma que esté bien sujeta y usted pueda manejarla con seguridad, pero lejos de los dedos de los pequeños. Colóquela de manera que todos puedan ver bien la trampa, el queso y el ratoncito de juguete. Con un lápiz largo o algo parecido podrá hacer saltar la trampa.)

¿Qué es esto? ¿Qué clase de trampa es? ¿Por qué ponemos queso en la trampa? (*Esperar respuestas.*) Este ratoncito quiere quedarse con el queso que no es suyo. ¿Está bien robar? ¡Claro que no!

El ratoncito sabe que es malo robar, pero, a pesar de todo, quiere comerse el queso. Duda un poquito porque sabe que hay peligro y puede dañarse. Veamos qué pasa si el ratoncito se atreve a llevarse el queso. (*Poner el ratoncito dentro de la trampa y con el lápiz hacerla saltar, de forma que el ratoncito quede atrapado. Cuando salte la trampa y el ratón quede atrapado, hacer gestos aparatosos.*)

¿Veis cómo hubiera sido muy malo para el ratoncito robar el queso? Es el diablo quien pone esos malos pensamientos en nuestra cabeza. Quizá vosotros habéis estado en un supermercado u otro almacén, y al pasar por el mostrador de los dulces habéis tenido la tentación de quedaros con algo sin pagarlo. Eso está mal. Quizá penséis que nada malo os va a pasar, pero recordad que el diablo también tiene una trampa para vosotros. No es la misma clase de trampa que para el ratoncito, pero es tan real y peligrosa como esa.

¿Cómo pensáis vosotros que el diablo nos quiere engañar y atrapar? (*Esperar respuestas.*) Ejemplos: Empujándonos a decir mentiras, quitarles las cosas a otros niños, desobedeciendo a mamá, pegando a otros niños, diciendo palabras feas. Nos va a tratar de convencer de que nada malo nos va a suceder. Quizá la primera vez no nos vean, ni nos cojan, ni nos pase aparentemente nada, pero aun así quedamos heridos. Lo malo es castigado tarde o temprano. Además, crea hábito y nos hace daño, pues nos acostumbra al mal. Es mucho mejor confiar en el Señor y hacer el bien.

Oración: Señor, gracias porque tú nos avisas del peligro de las tentaciones y del diablo. Gracias también porque tú prometes estar a nuestro lado en todo momento, dándonos las fuerzas que necesitamos para vencer. Ayúdanos para que cuando nos veamos en peligro sepamos buscarte a ti. Amén.

10

¿BUENO O MALO?

Así también la lengua es un miembro pequeño, pero se jacta de grandes cosas. ¡Mirad cómo un fuego tan pequeño incendia un bosque tan grande! Y la lengua es un fuego; es un mundo de maldad (Santiago 3:5, 6a).

Verdad a enseñar: Al igual que el fuego, la lengua puede ser buena o mala.

Objeto: Una caja de cerillos.

¡No juegues con los cerillos! ¿Cuántas veces os lo han dicho vuestros papás? ¿Qué pasa si jugáis con los cerillos? *(Esperar respuestas.)* Aquí tengo cerillos y voy a encender uno.

Ahora bien, ¿el fuego es bueno o malo? Todo depende de varias cosas, porque casi todo en la vida puede tener dos usos diferentes, puede ser usado para bien o para mal. Por ejemplo: La razón por la cual es peligroso jugar con cerillos es porque se puede prender fuego a la casa y perderse todo. Tú puedes incluso quemarte y morir, y eso es muy malo. Por otra parte, ¿no es una bendición tener 'mediante el fuego' la casa caliente y la comida cocinada? El fuego es muy necesario —realmente imprescindible— para fabricar muchas cosas que disfrutamos hoy.

Así es también con la lengua. ¿Quién quiere enseñarme la lengua? La Biblia dice que esa pequeña lengua que tú tienes puede ser a veces como un fuego malo que quema y destruye. Y eso es también muy malo. Cada vez que le decimos palabras malas a alguien o decimos mentiras es como si nuestra lengua empezara un fuego.

Debemos ser muy cuidadosos con lo que decimos. No queremos, ni debemos, empezar fuegos malos con nuestra lengua. Es mucho mejor usarla para bendecir y no maldecir. La Biblia nos enseña que lo mejor que podemos hacer con nuestra lengua es alabar a Dios y edificar al hombre.

Oración: Señor, gracias porque nos has dado la lengua, es un don precioso que podemos usar para hacer mucho bien a los demás y a nosotros mismos. Ayúdanos a saber controlarla y danos el poder para lograrlo. Amén.

11

JUNTOS SOMOS FUERTES

Y *miembros de la familia de Dios... En él todo el edificio, bien ensamblado, va creciendo hasta ser un templo santo en el Señor* (Efesios 2:19c, 21).

Verdad a enseñar: Cuando permanecemos unidos como una familia o iglesia, y esa unión es especialmente con y en Cristo, somos muy fuertes.

Objetos: Un manojo de espigas de madera (palitos largos y finos como lápices) y un poco de hilo grueso para atarlos juntos.

Aparece el pastor con su espiga de madera, muy contento y orgulloso, presumiendo de que su palito es tan fuerte que nadie puede romperlo. Pregunta a los niños si alguno quiere probar a romperlo.

Una invitación así es irresistible para cualquier niño. Seguro que aparecerán varios que van a querer probar. Al primer intento lo romperá cualquier niño que pruebe. El pastor simula que reacciona sorprendido y dolorido. Exclamará en voz alta: ¿Qué puedo hacer para que mi palito sea más fuerte?

Simula que la solución le viene en un relámpago de inspiración. Si un palito solo es débil, quizá todos juntos sean fuertes. Con un poco de hilo fuerte ata todos los palitos juntos y después elige al niño más fuerte del grupo. ¿Podrá él romper todo el manojo de palitos? No, ninguno podrá vencer esta fortaleza combinada.

Ahora resulta evidente el punto de aplicación a la vida que se quiere hacer. Cada uno de nosotros aislado es muy débil, pero cuando nos unimos como una familia o iglesia nos hacemos muy fuertes. Por eso Jesús quiere que sus discípulos formen y se reúnan como iglesia. Unidos permanecemos, separados caemos. Nos conviene y debemos permanecer juntos y unidos.

El apóstol Pablo insiste mucho en que los creyentes somos un cuerpo, somos hermanos y miembros de la familia de Dios. A los hermanos en Efeso les decía: "Por lo tanto, ya no sois extranjeros ni forasteros, sino conciudadanos de los santos y miembros de la familia de Dios."

Las palabras *juntos* y *unidos* son muy importantes. Cuando nos reunimos y nos afirmamos los unos a los otros como un cuerpo, unidos *con* y *en* Cristo, ya nunca más somos débiles como este palito que habéis roto. Por eso Cristo quiere que seamos parte de su iglesia y siempre estemos juntos y unidos.

Oración: Señor, gracias porque tú nos hiciste para vivir en familia y nos llamas también a ser miembros del cuerpo de Cristo, que es la iglesia. Enséñanos a ver los muchos beneficios de permanecer siempre unidos y ver también los inconvenientes de vivir aislados. Ayúdanos a amarnos y perdonarnos unos a otros. Amén.

12

LA IMPORTANCIA DE LA COOPERACION

Por tanto, id y haced discípulos a todas las naciones, bautizándoles. . . y enseñándoles que guarden todas las cosas que os he mandado. Y he aquí, yo estoy con vosotros todos los días, hasta el fin del mundo (Mateo 28:19, 20).

Verdad a enseñar: Mediante la cooperación trabajamos para lograr juntos lo que es difícil alcanzar uno solo.

Objeto: Una caja o maleta grande y pesada que un niño solo no pueda llevar. (Atarla con cuerdas para poder agarrarla y un palo largo y fuerte que sirva para que varios levanten y transporten la caja. Debe aparecer escrito con letras grandes en la caja: "Mi iglesia, mi hogar, mi patria." Tener la caja y el palo preparados en el estrado, cubiertos con una tela.)

Preguntar a los niños si ellos ayudan en casa y que digan qué hacen. Ayudarles mencionando algunas actividades específicas que los niños pueden y suelen hacer. Señalar que el hogar siempre funciona mucho mejor cuando todos ayudan: Papá, mamá y los hijos. El hogar es algo maravilloso y muy necesario para nuestra vida, pero conviene que todos cooperen para que de verdad sea así de bonito.

Así también sucede en la iglesia. Cuando todos cooperamos con nuestra presencia, testimonio, ofrenda y oración todo funciona mejor. Si dejamos la tarea a unos pocos termina por ser pesada para ellos, pero con la ayuda de todos resulta liviana.

Invite a uno de los niños a que levante él solo la caja. No podrá hacerlo, demostrándose así que es muy pesada para uno solo. Después pida a otro niño que le ayude, y tampoco podrán entre los dos. ¿Qué podemos hacer para levantarla y cumplir así con nuestra tarea? ¿Podremos si trabajamos todos unidos? (*Espere respuestas.*) Seguidamente pase el palo largo y fuerte por entre las cuerdas y pida que varios niños ayudando en cada lado la levanten. Ahora sí podrán. El palo largo y fuerte aporta la idea y el simbolismo de la cooperación.

Al levantar entre todos la pesada caja —todo lo alto que puedan, y llevarla de un sitio para otro— con mucho entusiasmo y poco esfuerzo, se demostrará que una iglesia puede ser muy fuerte mediante la cooperación de todos. Lo mismo sucede en el hogar y la patria.

Oración: Señor, gracias porque tú eres nuestro ejemplo en la cooperación fiel. Tú nos das la tierra, el sol, la lluvia, el viento y la semilla; pero nosotros también tenemos que cooperar para conseguir nuestro pan aportando nuestro trabajo diligente. Enséñanos y ayúdanos a poner siempre nuestra parte con amor, como lo hacen los miembros de nuestro cuerpo, a fin de que nuestro hogar, iglesia y patria sean cada vez más bellos y bendecidos. Amén.

13

DIOS SE HIZO HOMBRE

Y el Verbo se hizo carne y habitó entre nosotros, y contemplamos su gloria, como la gloria del unigénito del Padre, lleno de gracia y de verdad (Juan 1:14).

Verdad a enseñar: Dios se hizo hombre para poder comunicarse y relacionarse con nosotros, y decirnos que nos ama y procura nuestro bien.

Objeto: Un tarro de cristal con hormigas.

Mostrar el tarro de cristal y preguntar qué ven dentro. (*Espere respuestas.*) ¿Sabéis que las hormigas son muy organizadas y trabajadoras? Preparan su comida en verano para que no les falte en invierno. La Biblia habla de las hormigas y las pone como ejemplo. ¿Sabéis cómo se hablan las hormigas entre sí? (*Esperar respuestas y explicar.*)

Una vez escuché un cuento sobre un niño que jugaba en el parque. En una de sus muchas carreras tropezó, sin darse cuenta, con un montoncito de tierra que no había visto. Era la entrada de un hormiguero. Tan fuerte fue el golpe que lo desbarató todo y espantó a las hormigas. Como él amaba a los animalitos, se dolió mucho por lo sucedido y empezó a llorar.

Su abuelito se acercó para saber qué sucedía y el niño le explicó lo que había pasado. Llorando preguntó:

—¿Cómo puedo decir yo a las hormiguitas que lo siento mucho y que quiero ayudarlas?

El abuelito, que era un fiel cristiano, aprovechó para decirle:

—Sólo hay una manera. Que logres hacerte como una de

ellas y siendo hormiga les hables al corazón como ellas hablan. ¿Crees que podrías hacerte como una hormiga?

—Eso es imposible —respondió el niño.

—Pero para Dios no hay nada imposible y eso es lo que él hizo en Cristo Jesús. Se hizo hombre para comunicarse y relacionarse con nosotros. Para decirnos que nos ama y procura nuestro bien. ¿Verdad que eso es estupendo? El niño del cuento no podía hacerse hormiga, pero Dios sí pudo hacerse hombre. (*Leer el versículo de Juan 1:14.*)

Oración: Querido Señor, gracias porque tú te hiciste como nosotros somos para que pudiéramos conocerte y experimentar que tú nos amas. Es maravilloso saber que tú eres como tu Hijo Jesucristo nos mostró que eres. Gracias porque tú siempre estás cerca y podemos hablarte. Amén.

14

LA AMISTAD

En todo tiempo ama el amigo (Proverbios 17:17a).

Verdad a enseñar: La amistad es un don precioso que podemos y necesitamos experimentar en nuestras relaciones.

Objeto: Llevar algo (un señalador de la Biblia con un versículo sobre la amistad, por ejemplo) que los niños puedan guardar en señal de amistad con el pastor.

¿Sabéis qué es la amistad? ¿Sois vosotros amigos unos de otros? (*Esperar respuestas.*) La Biblia habla de la amistad y presenta ejemplos hermosos de amistad. ¿Recordáis quiénes aparecen en la Biblia como muy buenos amigos? Sí, David y Jonatán.

Permitid que os cuente una fábula que fue escrita por Esopo hace 2.500 años. Cuenta Esopo que dos hombres viajaban por un bosque y de pronto se les apareció un enorme oso, feroz y hambriento, en medio del camino. ¿Sabéis qué hizo uno de los viajeros? Echó a correr y se subió a un árbol. Al otro, a causa del susto, no le dio tiempo a escapar. ¿Sabéis qué hizo? Se tiró al suelo boca abajo y se quedó muy quieto y sin respirar, de manera que parecía como si estuviera muerto.

El oso se le acercó y le olió por todas partes, puso su boca en una de las orejas del hombre que se hacía el "muerto" y dio un enorme resoplido. Le hizo muchas cosquillas en la oreja, pero no se movió. Después el oso se marchó porque, según cuenta Esopo, los osos no comen carne muerta.

Tan pronto como el oso desapareció, el que estaba en el árbol bajó y preguntó a su amigo, que todavía no se había recuperado del susto:

—¿Qué te dijo el oso cuando te habló a la oreja?

Y el otro le respondió:

—Me dijo que nunca me fíe de un amigo que me abandone en tiempo de necesidad.

Esto es sólo un cuento, nunca sucedió en la realidad, pero tiene una enseñanza: Si vamos a ser amigos tenemos que serlo siempre, en los días buenos y en los malos. Porque uno que se dice amigo debe ser leal y fiel en todo tiempo.

¿Queréis que nosotros seamos buenos amigos? Se requieren tres cosas: Primera, no hablar nunca mal uno del otro; segunda, estar dispuestos a perdonarnos siempre; tercera, orar unos por otros. ¿Estáis dispuestos a cumplir con estas condiciones? ¿Sabéis quién es nuestro mejor amigo? Sí, Cristo Jesús. ¿Sabéis por qué? Porque dio la mejor prueba de amistad. ¿Sabéis cuál es? Dar su vida por un amigo.

Oración: Querido Jesús, gracias porque tú eres un amigo fiel y porque eres nuestro ejemplo de amistad. Ayúdanos a que nosotros también sepamos ser buenos amigos. Amén.

15

¡PERDIDO!

Jesús le dijo: Yo soy el camino (Juan 14:6a).

Verdad a enseñar: La vida es como un viaje y podemos
equivocar el camino. Dios, que nos ama, nos provee de
dirección y ayuda.

Objeto: Un mapa de la ciudad o del Estado que muestre calles o
carreteras, o una brújula.

¿Sabéis qué es esto? *(Esperar respuestas.)* ¿Habéis visto a
alguien usarlo? ¿Para qué sirve? Sirve para que no nos extravie-
mos, para saber cuál es el camino por donde debemos ir. ¿Os
habéis perdido alguna vez en una calle o supermercado? ¿Verdad
que es terrible? He sabido de personas que se perdieron en el
desierto, las montañas o la selva y murieron. Perderse causa
mucha angustia y puede ser muy peligroso.

Yo una vez me perdí en una ciudad. No tenía un mapa ni
sabía cómo volver al hotel. Fui muy imprudente por confiar tanto
en mi memoria y sentido de orientación. Vi a una persona que
estaba por allí cerca y le pregunté, pero ella realmente tampoco
sabía, y aunque tenía buena intención de ayudarme, al final me
desorientó más de lo que ya estaba y todo fue peor. Luego
encontré a otra persona que sí conocía bien la ciudad y sabía el
camino. Además, se ofreció a acompañarme. Aquella persona se
comprometió personalmente a mostrarme el camino. Todos
podemos equivocar el camino y extraviarnos. Eso siempre causa
angustia y pérdida. Pero sobre todo podemos equivocar el camino
al cielo, especialmente porque el diablo siempre está dispuesto a
darnos información falsa, y lo hace con mala intención.

Pero Dios, que nos ama y no quiere que nos perdamos, nos
ha dado al mejor de los guías para mostrarnos el camino, y él
realmente es el camino. ¿Sabéis quién es este guía? Sí, Cristo
Jesús. Si le dejamos que nos guíe ya no hay temor de equivocar el
camino al cielo.

Oración: Señor, gracias porque tú nos provees del mejor m~pa (la Biblia) y del mejor guía (Cristo Jesús). Así estamos seguros de no perdernos en nuestro camino al cielo. Ayúdanos a no prestarle atención al diablo cuando nos da direcciones falsas que nos extravían, sino que por el contrario fijemos nuestra mirada en Cristo. Amén.

16

LA IMPORTANCIA DE LA SANGRE

La sangre de su Hijo Jesús nos limpia de todo pecado (1 Juan 1:7b).

Verdad a enseñar: Hay un valor y poder sin igual en la sangre.

Objetos: Jeringa para sacar sangre y carné de donante de sangre. Pizarra pequeña y borrador húmedo.

¿Sabéis qué es esto? ¿Para qué sirve? (*Esperar respuestas.*) Sí, para ponernos inyecciones cuando estamos enfermos, para sacarnos sangre y hacernos análisis, o para hacernos una transfusión de sangre.

¿Sabéis qué es la sangre? Sustancia vital para conservar nuestra vida, sin ella moriríamos. ¿Habéis visto alguna vez una transfusión de sangre? Se hace cada vez que alguien ha perdido mucha sangre y precisa urgentemente reponer la cantidad mínima vital que se necesita. Pero para ello se precisan donantes de sangre generosos. ¿Habéis donado vosotros sangre alguna vez? Yo sí, lo hice varias veces. Incluso en algunas iglesias evangélicas en mi país se acostumbra a que los creyentes en general lo hagan una vez al año para los hospitales de la Seguridad Social del país. Aquí está mi carné de donante de sangre. Además, tengo el privilegio de tener un tipo de sangre universal que sirve para todos. Cada vez que donaba sangre me sentía después un poco débil, porque es como si hubiera dado un poco de mi vida. Pero me sentía contento cada vez que lo hacía, porque me hacía feliz pensar que alguien podía estar vivo gracias a mí.

¿Sabéis quién dio su sangre, generosa y gratuitamente, por cada uno de nosotros? ¿Lo sabes tú, Elías? *(Hacerlo personal y esperar respuesta.)* Sí, Cristo Jesús lo hizo y la Biblia dice *(leer)* que "la sangre de su Hijo Jesús nos limpia de todo pecado".

¿Sabéis qué significa eso? *(Sacar pizarra y borrador húmedo. Escribir la palabra "pecados" y explicar.)* Quiere decir que, cuando la aplicamos a nuestro corazón, borra todas nuestras deudas con Dios de la misma manera que este borrador limpia eficazmente la pizarra. ¿Veis? Ya no existe; ya no nos pueden reclamar por lo que se borró y desapareció. ¿Has pedido tú a Dios que aplique a tu vida la sangre de Cristo? *(Recitar o cantar la primera estrofa del himno "Comprado por sangre de Cristo", número 444 del Himnario Bautista.)*

Oración: Amado Señor Jesús, gracias por tu amor y generosidad al derramar tu sangre por cada uno de nosotros en la cruz. Abrimos nuestro corazón para que tú apliques la virtud y el poder de tu sangre a nuestra vida. Amén.

17

EL PODER DE LOS PENSAMIENTOS

En cuanto a lo demás, hermanos, todo lo que es verdadero, todo lo honorable, todo lo justo, todo lo puro, todo lo amable, todo lo que es de buen nombre, si hay virtud alguna, si hay algo que merece alabanza, en esto pensad (Filipenses 4:8).

Verdad a enseñar: Quitemos todo mal pensamiento de nuestra mente porque echa a perder los buenos pensamientos.

Objeto: Un frutero o cesta con manzanas, con una de ellas podrida. (Si el grupo no es muy numeroso llevar una manzana buena para cada niño y regalársela al final.)

¿Os gustan las manzanas? Confío en que sí, son muy nutritivas y ricas en vitaminas y minerales. Alguien dijo: "Una manzana al día aparta al médico de nuestra vía." (*Leer el versículo de Filipenses 4:8 y enfatizar la frase "en esto pensad".*) ¿Por qué quiere Dios que pensemos en cosas buenas? Porque los buenos pensamientos nos llevan a las buenas acciones, y los malos pensamientos nos arrastran a las malas acciones. El autor de Proverbios nos dice que lo que pensamos es lo que en definitiva sucede (Proverbios 23:7). Los malos pensamientos son como las manzanas podridas. ¿Sabéis qué puede hacer una sola manzana que esté en malas condiciones? Nos puede estropear todas las demás manzanas.

Aquí en este frutero tenemos bastantes manzanas, todas son buenas, excepto una que está mala porque tiene un gusano dentro. ¡Vamos a buscarla! (*A medida que van sacando las manzanas del frutero se van quedando con ellas, hasta que en el fondo encuentran la que está podrida.*)

¡Mirad! Si hubiéramos dejado esta manzana mala por varios días con las demás buenas, las habría echado a perder a todas. Por eso Dios insiste en que procuremos no tener malos pensamientos. ¿Tenéis vosotros alguna vez malos pensamientos? Yo sí, y creo que vosotros también. Por ejemplo, decir alguna mentirita para evitar un castigo, la tentación de quitarle a mamá una moneda de su bolso, etc. Esos son malos pensamientos que nos llevan a las malas acciones. Es como las malas hierbas, crecen solas y con mucha fuerza, y si se las deja se apoderan de todo el jardín.

Oración: Buen Señor, gracias porque nos amas y nos avisas que tengamos cuidado con los malos pensamientos. Ayúdanos a sembrar y regar siempre en nuestra mente los buenos pensamientos. Gracias por estos niños preciosos, que sean siempre como las manzanas buenas, sanas y bonitas. Amén.

18

SIEMPRE BUENO Y VALIDO

Así será mi palabra que sale de mi boca: No volverá a mí vacía, sino que hará lo que yo quiero, y será prosperada en aquello para lo cual la envié (Isaías 55:11).

Verdad a enseñar: La Palabra de Dios nunca queda invalidada, sino que siempre es buena.

Objetos: Dinero de jugar (o de otros países) y billetes de banco reales y buenos en el país. También una Biblia para comparar.

¿Os gusta a vosotros tener dinero? ¿Qué hacéis con el dinero que os dan vuestros papás? (*Esperar respuestas.*)

A todos los niños les gusta tener dinero o jugar con dinero, pero son lo suficientemente listos y experimentados como para conocer la diferencia entre el dinero verdadero y el de jugar, o el que es de otros lugares y no sirve en su país. Muéstreles papel moneda de otras naciones o dinero de jugar y pregúnteles si con ello pueden comprar dulces u otras cosas. Quizá los más pequeños digan que sí, pero lo más probable es que en general, gritando a coro, digan que no.

Muéstreles entonces un billete de banco válido en el país y todos estarán de acuerdo en que ese dinero sí vale. Con él sí se puede comprar de todo en cualquier parte de la nación. ¿Por qué? Porque el gobierno lo respalda y la palabra del gobierno es creída y aceptada como buena. Todo el mundo lo sabe y lo acepta, de manera que nadie lo va a rechazar. Es un desastre cuando en un país la gente no cree ni confía en la palabra del gobierno.

¿Hay algo que sea más valioso que el dinero? Sí, la Biblia, la Palabra de Dios. Siempre es verdadera, buena y útil, y nunca queda invalidada; como sí sucede con el dinero, que queda invalidado cuando se pone viejo o el gobierno no puede respaldarlo. ¿Por qué la Biblia nunca queda invalidada? ¿Cómo podemos estar seguros? Porque Dios lo dice y él siempre dice la verdad, y siempre cumple lo que dice y promete.

En Isaías 55:11 *(leer)* Dios explica que su Palabra nunca queda inservible o invalidada. Cada vez que alguien la lee, algo bueno sucede. Nunca vuelve vacía o es inútil, sino que siempre cumple con el propósito de Dios.

Oración: Señor, gracias porque tú nos has dado algo que vale más que el dinero o el oro: tu Palabra. Gracias porque tú la respaldas y siempre da buen fruto. Ayúdanos a conocerla, amarla y guardarla en nuestros corazones. Amén.

19

NO OLVIDEMOS EL INTERIOR

¡Ay de vosotros, escribas y fariseos, hipócritas! Porque sois semejantes a sepulcros blanqueados que, a la verdad, se muestran hermosos por fuera; pero por dentro están llenos de huesos de muertos y de toda impureza. Así también vosotros, a la verdad, por fuera os mostráis justos a los hombres; pero por dentro estáis llenos de hipocresía e iniquidad (Mateo 23:27, 28).

Verdad a enseñar: Dios quiere que también estemos limpios por dentro.

Objetos: Una bandeja con tres tazas. Una taza fea, usada y un poco rota, pero limpia por dentro; otra taza normal y corriente, pero que se vea nueva, aunque sucia por dentro; otra muy fina y bonita, pero también sucia por dentro. Las tazas deben estar tapadas con una servilleta para que no se vea el interior.

Cuando los niños se acercan al estrado para reunirse con el pastor, éste los recibe con la bandeja en las manos y las tazas tapadas. Les puede preguntar: ¿Os gustaría que un día os invitara a venir a mi casa? ¿Sabéis lo que haría vuestra mamá antes de salir de casa? ¿No lo sabéis? Yo sí lo sé, os miraría de arriba a abajo para verificar que estáis limpios y la ropa está en buen orden. Todas las mamás son así. ¿Verdad que sí? Y a mí me parece que el Señor es un poco como las mamás. El nos mira a todos para ver si estamos limpios y en orden; al fin y al cabo la iglesia es su casa. Hoy vamos a hablar acerca de la limpieza.

Cuando vayáis a mi casa yo os ofreceré una taza de chocolate muy rico. ¿En qué taza preferís que os lo sirvamos? (*Mostrarles las tazas sin que vean el interior.*) ¿Cuál elegiríais vosotros? (*Lo más probable es que los niños —al igual que los mayores— elijan atraídos por la belleza exterior.*)

Sus caras cambiarán dramáticamente cuando al mostrarles el interior de las tazas vean que la fea está limpia, pero las otras dos están muy sucias por dentro, con restos de alimentos.

La aplicación se hace ahora evidente. Todos miramos el exterior de las tazas, pero nos olvidamos del interior. Así también sucede con las personas. Cristo Jesús usó una vez una ilustración parecida para enseñar a ciertas personas que se consideraban a sí mismas muy buenas, que por dentro estaban muy sucias. (*Leer y explicar clara y brevemente lo que significa el texto bíblico elegido.*)

Así sucede con nosotros también. Dios quiere que estemos limpios tanto por dentro como por fuera. Después de todo es en nuestro interior donde vive Dios.

Es cierto que no podemos limpiar nuestro interior con agua y jabón como lo hacemos por fuera. Pero sí podemos pedirle a Dios que nos perdone y nos limpie de todos aquellos pensamientos y sentimientos malos que tengamos en nuestro interior. Hay que pedírselo para que él lo haga.

Recordad esto bien, no os olvidéis del interior de vuestro ser, porque eso es al fin y al cabo lo que más importa.

Oración: Señor, ayúdanos a no sólo ver lo de afuera en nosotros y en otros, sino principalmente lo de adentro. Gracias porque tú nos ves por dentro y por fuera. Usa con nosotros tu jabón espiritual para que siempre estemos limpios como a ti te agrada. Amén.

20

LA PUERTA DE TU CORAZON

He aquí, yo estoy a la puerta y llamo; si alguno oye mi voz y abre la puerta, entraré a él y cenaré con él, y él conmigo (Apocalipsis 3:20).

Verdad a enseñar: Cristo Jesús llama a la puerta de cada corazón buscando entrar en él para bendecirlo.

Objeto: Un estetoscopio o fonendoscopio.

Hoy vamos a hablar de algo que cada uno de nosotros tiene dentro de su cuerpo. Cuando trabaja, suena a algo así como "dam-dam, dam-dam", y lo hace cada segundo y minuto de nuestra vida, nunca para. ¿Sabéis qué es?

Sí, estamos hablando del corazón. Podemos escuchar cómo funciona el corazón de otra persona poniendo nuestro oído sobre su pecho. ¿Sabéis cómo lo hacen los médicos? Usando un instrumento como este. ¿Sabéis cómo se llama? (*Saque en este momento su estetoscopio y colóquelo en sus oídos.*) Esta pequeña pieza de metal se pone sobre el pecho o la espalda de una persona y el sonido va por los tubos hasta los oídos.

¿Sabéis qué es lo que los médicos escuchan? Los sonidos del corazón. ¿Sabéis qué significan esos sonidos? Los médicos nos dicen que el corazón es como una bomba de agua con dos puertas. Bien sabéis que el corazón es el músculo que envía la sangre por todo nuestro organismo. El sonido "dam-dam, dam-dam" proviene de las dos puertas abriéndose y cerrándose. Los médicos las conocen como las válvulas del corazón. Una puerta deja que entre la sangre al corazón y la otra permite que salga. Los médicos escuchan el sonido de esas dos puertas para saber si abren y cierran bien. Ellos pueden decir por el sonido si hay algo que no va bien.

Hablemos ahora de otra puerta que tiene nuestro corazón. El sonido asociado con esta puerta es el de alguien que llama porque quiere entrar. ¿Sabéis quién es el que quiere entrar en tu corazón y en el mío? Sí, es Jesús; él quiere entrar en la vida de todos. (*Leer Apocalipsis 3:20.*) El está a la puerta, llama y nos trae un regalo precioso, que a nosotros no nos cuesta nada, pero que a él sí que le costó mucho. Sin embargo, él nos pide que le dejemos entrar y nos pone una condición: obedecerle. ¿Quieres tú dejarle entrar en tu corazón? ¿Y tú?

Oración: Nuestro buen Jesús, gracias por tu amor y paciencia llamando a la puerta de nuestro corazón. Gracias porque nos amas tanto que nos buscas siempre para hacernos bien. Yo escucho tu llamada, quiero abrirte mi corazón y recibirte como el mejor regalo de mi vida. Amén.

21

LA MEDICINA DEL CIELO

Si confesamos nuestros pecados, él es fiel y justo para perdonar nuestros pecados y limpiarnos de toda maldad (1 Juan 1:9).

Verdad a enseñar: La medicina que la Biblia recomienda para el mal del pecado se llama *confesión*.

Objetos: Caja o frasco de medicina y un anuncio de un producto farmacéutico en el que se vea a una persona con cara de enferma o gesto de dolor.

¿Qué es esto? (*Mostrar el objeto y darles tiempo a los niños para responder.*) ¿Quién de vosotros ha estado en una farmacia? ¿Habéis visto la gran cantidad de medicinas de todas clases que existen? Hoy realmente disponemos de medicinas para casi toda enfermedad y dolor. ¿Qué os da vuestra mamá cuando tenéis dolor de cabeza? (*Esperar la respuesta de los niños, dirán "Aspirina" o algo parecido.*) Y si nos duele el estómago también tenemos remedio. Incluso algunas personas usan remedios caseros como son las hierbas medicinales. ¿Os habéis caído alguna vez jugando y os habéis herido en la pierna o el brazo? ¿Cómo y con qué os curaron? Probablemente suceda que hoy tenemos más medicinas de las que quizá necesitamos.

Pero hay una clase de mal y de dolor que no se cura con los medicamentos normales y corrientes que compramos en las farmacias, porque no es un mal como los demás. Cada vez que pecamos contraemos una enfermedad y sufrimos un dolor que sólo se cura con la medicina del evangelio.

¿Quién sabe cuál es esa medicina? Aquí tenemos la medicina especial, recetada por Dios, para las heridas del pecado. *(Mostrar la Biblia.)* Os voy a leer lo que Dios recomienda para cuando hemos hecho lo malo: "Si confesamos nuestros pecados, él es fiel y justo para perdonar nuestros pecados y limpiarnos de toda maldad."

Dios quiere que le confesemos nuestros pecados para que él pueda perdonarnos y limpiarnos, y así quedar sanados. Cuando hayáis hecho lo malo no lo ocultéis, pues así nunca se cura el mal, sino confesadlo. Al Señor y al médico siempre se les dice la verdad, porque de lo contrario no nos pueden curar.

Oración: Señor, sabemos que la mejor medicina para curar los males de nuestro corazón es confesarte nuestros pecados. No queremos ocultar nada para que el Médico de amor pueda sanarnos completamente. Gracias por tu amor, perdón y paciencia. Amén.

22

MUCHOS MIEMBROS PERO UN SOLO CUERPO

Porque de la manera que el cuerpo es uno solo y tiene muchos miembros, y que todos los miembros del cuerpo, aunque son muchos, son un solo cuerpo, así también es Cristo... Ahora bien, vosotros sois el cuerpo de Cristo, y miembros suyos individualmente (1 Corintios 12:12, 27).

Verdad a enseñar: Todos, incluidos los niños, son importantes y de mucho valor, pues todos juntos formamos la iglesia, el cuerpo de Cristo.

Objetos: Dibujos de un ojo, oreja, nariz, pie, mano, corazón, pulmón, etc.

Tener preparados para esta ocasión unos dibujos grandes y bien visibles de distintas partes del cuerpo humano. Conviene tener tantos dibujos diferentes como niños vayan a participar. En caso necesario se pueden repetir los dibujos de órganos dobles que tenemos, tales como los pies, manos, ojos, etc. Sería ideal si pudiera encontrar estos dibujos ya hechos, pero si no alguien con cierta habilidad para dibujar puede hacerlos. Cada uno de los niños puede participar manteniendo en alto y mostrando a la congregación, en el momento oportuno señalado, los dibujos que representan partes del cuerpo.

Mostrar a los niños que todas las partes del cuerpo son buenas y necesarias, aun las que parecen más pequeñas e insignificantes. Algunas pueden desempeñar papeles más importantes que otras, pero ninguna es inútil ni sobra.

El apóstol Pablo usó una vez esta ilustración del cuerpo para enseñar que cada uno en la iglesia es importante y que todos juntos formamos el cuerpo de Cristo. Quizá en esta ocasión quiera simplemente abrir en 1 Corintios 12 y leer la excelente ilustración que el apóstol Pablo nos ofrece allí.

Oración: Señor, gracias porque todos, grandes y pequeños, somos importantes para ti y contamos en tu reino. Saber que tú nos amas y que tú cuentas con nosotros nos eleva y nos conforta mucho. Ayúdanos a saber cuál es nuestro lugar en tu iglesia y cumplir fielmente con nuestra parte para el bien de todo el cuerpo. Úsanos, Señor, para tu honra y gloria. Amén.

23

LO QUE IMPORTA ES LO QUE HAY DENTRO

Porque Jehovah no mira lo que mira el hombre: El hombre mira lo que está delante de sus ojos, pero Jehovah mira el corazón (1 Samuel 16:7).

Verdad a enseñar: No importa el color de la piel de una persona, lo que de verdad importa es lo que tiene por dentro.

Objetos: Varios globos de colores inflados con gas para que al soltarlos suban.

¿Os gustan los globos? Yo sé que os gustan y, sobre todo, jugar con ellos. ¿Veis qué bonitos son estos globos de colores? ¿Qué colores son? *(Esperar respuestas.)* ¿Qué globo es el mejor, el blanco, marrón, amarillo? *(Esperar respuestas.)*

En una ocasión un hombre vendía globos de colores en un parque. Los inflaba con gas y se los vendía a los niños para que jugaran con ellos. Cada día, cuando llegaba, para llamar la atención de los niños inflaba unos cuantos globos y los soltaba al aire para que ascendieran y se vieran desde todos los rincones del parque.

Un niño negrito vio una vez ascender los globos y curioso se acercó al vendedor y le preguntó:

—Oiga, ¿los globos negros también suben?

Aquel hombre que era sabio y amable, entendió bien lo que el niño negrito estaba pensando, y guiñándole un ojo le dijo:

—Hijo, los globos no suben por el color, sino por el gas que tienen dentro. Lo que tienen dentro es lo que les hace subir. Así pasa también con las personas. No es el color de la piel, sino el talento, las actitudes y la determinación que tienen dentro lo que les hace subir.

Aquel niño negrito se sintió muy feliz y contento con la respuesta del sabio vendedor de globos. Y, además, es la pura verdad.

No es el color de la piel, ni la posición social, ni el dinero lo que determina nuestro éxito y felicidad en la vida, sino nuestras actitudes y esfuerzo personal. Si tenemos actitudes sanas y positivas ante la vida y hacia los demás, tarde o temprano seremos grandes e importantes.

Oración: Señor, gracias porque tú no miras nunca las apariencias externas sino las actitudes del corazón. Gracias también porque nuestro éxito o felicidad en la vida no dependen de circunstancias externas sino de nuestra comunión contigo y de nuestras relaciones de amor con los demás. Ayúdanos a saber

41

ofrendarte nuestra vida, para que tú uses todo lo bueno, hermoso y sano que tenemos por dentro. Amén.

24

¿DESEOS O NECESIDADES?

Mi Dios, pues, suplirá toda necesidad vuestra, conforme a sus riquezas en gloria en Cristo Jesús (Filipenses 4:19).

Verdad a enseñar: Hay una gran diferencia entre deseos y necesidades y nos conviene conocerla.

Objeto: Una larga lista de cosas que, por lo general, los niños desean como regalos para Navidad.

¿Habéis escrito ya vuestra lista de los regalos que deseáis recibir para Navidad? Aquí tengo la lista de un niño que espera recibir muchas cosas: Una bicicleta, un balón, un tocadiscos, una televisión, unos patines, un juego de ajedrez, un juego de parchís y muchas cosas más. ¿Creéis vosotros que este niño de verdad necesita todas estas cosas? ¿No os pasa a vosotros que cada vez que veis algo que os llama la atención lo queréis? De manera que la lista de los deseos es siempre interminable.

Pero, ¿conseguimos siempre lo que queremos? De ninguna manera. Nunca lo logramos del todo. ¿Y qué importa? Podemos vivir muy bien sin la mayoría de las cosas que queremos. En realidad, no son necesarias para vivir. Son simplemente "deseos" y no vamos a morirnos si no las conseguimos.

Por el contrario, hay algunas cosas que realmente sí las necesitamos. ¿Cuáles son éstas? ¿Qué es más importante, la comida o la televisión? ¿Una cama o un tocadiscos? La comida, el vestido, el calzado, los libros son todas cosas muy "necesarias" para nuestra vida. Sin ellas pasaríamos auténtica necesidad.

Así que hay mucha diferencia entre "deseos" y "necesidades". Todas aquellas cosas que nos permiten conservar la vida, mantener la salud y cumplir con nuestras responsabilidades son las más importantes, y las que debemos buscar primero.

¿Sabéis cuál es en definitiva nuestra primera necesidad? La comunión con Dios y la buena relación con los demás.

Oración: Nuestro buen Dios, enséñanos a saber distinguir siempre entre necesidades y deseos. Gracias porque tú cuidas con amor de tus pájaros y flores; y gracias porque tú siempre provees para nuestras necesidades. Ayúdanos a vivir sin ansiedad. Amén.

25

EL SALVAVIDAS

Fiel es esta palabra y digna de toda aceptación: que Cristo Jesús vino al mundo para salvar a los pecadores, de los cuales yo soy el primero (1 Timoteo 1:15).

Verdad a enseñar: Cristo Jesús es el Salvador de nuestras vidas.

Objeto: Un salvavidas auténtico, de los que se usan en piscinas o playas, o de los que se usan en los barcos en situaciones de emergencia.

¿Qué es esto? ¿Para qué sirve? *(Esperar respuestas.)* ¿Habéis visto alguna vez rescatar a una persona del agua cuando se estaba ahogando? *(Explicar qué se hace en estas situaciones.)* En operaciones normales de rescate se lanza uno de estos salvavidas cerca de la persona en peligro para que ella lo agarre bien fuerte, y como flota, la persona puede así salvarse. El salvavidas sirve porque flota, generalmente no se hunde, no suele fallar. Aquel que lanzó el salvavidas es también en realidad el salvador.

La Biblia dice que Cristo vino a este mundo para ser nuestro Salvador. *(Abrir la Biblia y leer el versículo elegido.)* Necesitamos a Cristo porque sólo él puede salvarnos de la condición de pecadores y de la paga del pecado. Sin él estaríamos completamente perdidos. Ser pecadores es como caerse en el agua y no saber, o no poder, nadar. En esa situación tú no puedes salvarte a ti mismo, necesitas urgentemente la ayuda de otra persona. Cristo es para nosotros como un salvavidas eficaz y seguro, nunca falla. El lo hace porque nos ama.

Oración: Señor, gracias porque tú nos amas y deseas salvarnos. Danos conocimiento para darnos cuenta de nuestra necesidad y dejarte que nos ayudes. Amado Jesús, te reconocemos como nuestro Salvador, entra en nuestro corazón, la puerta está abierta. Amén.

26

¿DE QUIEN ERES?

Somos del Señor (Romanos 14:8c).

Verdad a enseñar: Quiénes somos y lo que somos depende de a quién pertenecemos.

Objeto: Documento de identificación: Cédula nacional de identificación, permiso de conducir con fotografía, carné de la escuela, pasaporte, etc.

¿Qué es esto? (*Mostrar una caja con diversos documentos de identidad pertenecientes a distintas personas.*) Como veis son documentos de identificación personal. Pertenecen a varias personas y están todos mezclados, pero yo sé cuál pertenece a cada persona que me lo prestó, porque el nombre y la fotografía están en cada uno de ellos.

¿Habéis visto esta clase de documentos antes? ¿Dónde? Mediante estos documentos sabemos quiénes somos y a qué familia y país pertenecemos y dónde vivimos. A veces no tenemos documentos, pero en nuestra cara, pelo, ojos, carácter, idioma, pronunciación, están claramente marcados nuestros orígenes familiares y nacionales. Todos pertenecemos a un padre y una madre que nos engendraron y nos criaron, pero sobre todo pertenecemos a Dios.

La Biblia dice que los que creemos en Cristo *(leerlo)* "somos del Señor". El nos compró al precio de su sangre derramada en la cruz. Mediante la fe nos unimos a él y le invitamos a que more en nosotros y por la obra del Espíritu Santo en nosotros nos vamos haciendo semejantes a él.

Es maravilloso ser conocidos como hijos de Dios y pueblo de Dios. El es nuestro Padre celestial. Somos suyos, le pertenecemos y él nos pertenece. *(Leer o cantar en este momento el coro del himno 459, "Ya pertenezco a Cristo", del Himnario Bautista.)*

Oración: Señor, gracias porque te pertenecemos. Gracias porque tú nos conoces como hijos y nosotros te conocemos a ti como nuestro Padre celestial. Gracias porque Cristo y tu Palabra son nuestros documentos de identificación. Ayúdanos a honrarte como los buenos hijos deben honrar siempre a su padre. Amén.

27

EL AMOR DE DIOS

Pero Dios demuestra su amor para con nosotros, en que siendo aún pecadores, Cristo murió por nosotros (Romanos 5:8).

Verdad a enseñar: Dios demostró su amor para con nosotros en la cruz de Cristo.

Objetos: Una tarjeta, símbolo u objeto propio del día de San Valentín, Día de la Amistad, o como se llame en su país.

(Mostrar los objetos que lleva.) ¿Qué os dicen estos objetos? ¿Qué significa el día de San Valentín? *(Esperar respuestas.)* El día de San Valentín es el día del amor, de la amistad, y se celebra

para enfatizar el amor en la vida de las personas y de las familias. En ese día se hacen llamadas por teléfono, se escriben cartas o tarjetas, se envían regalos o se hacen visitas con el fin de mostrar y enfatizar el amor que sentimos por ciertas personas muy especiales para nosotros.

Pero, ¿qué es el amor? (*Esperar respuestas.*) El amor es el deseo y la actitud que tenemos de hacer bien a aquellos que conocemos y que tenemos cerca. Generalmente amamos a los que nos aman y son buenos para con nosotros. Pero Dios no actúa así, él nos ama aunque seamos feos y malos. Dios nos ama siempre e incondicionalmente.

Dios no simplemente dice "te amo", o nos envía una tarjeta de felicitación en el día de nuestro cumpleaños. El se dio a sí mismo en la persona de su Hijo Jesucristo para ocupar nuestro lugar y morir por nosotros en la cruz. La Biblia dice (*leerlo*): "Pero Dios demuestra su amor para con nosotros, en que siendo aún pecadores, Cristo murió por nosotros."

Esto quiere decir que Dios nos ama antes de que nosotros empecemos a amarle a él. El no espera a que nosotros seamos guapos, listos o buenos, o estemos limpios, para amarnos. Mientras éramos pecadores nos demostró su amor en la cruz de Cristo. Por eso el mejor símbolo para recordar el amor de Dios es la cruz. Cada vez que pensemos en el amor y tengamos que explicar qué es, pensemos en Cristo y en la cruz.

Oración: Nuestro buen Dios, gracias porque tú no esperas para amarnos a que nosotros te amemos o seamos agradables. Tú nos amas siempre tal como somos y estamos, y así nos recibes y aceptas. Gracias porque nos lo has demostrado en la cruz de tu Hijo Jesús. Danos la gracia de saber amar como tú lo haces. Amén.

28

HAZ PLANES HOY

Enséñanos a contar nuestros días, de tal manera que traigamos al corazón sabiduría (Salmo 90:12).

Verdad a enseñar: Lo que planeamos bien solemos cumplirlo. Planeemos siempre lo mejor.

Objeto: Agenda o calendario que usan los profesionales o ejecutivos para fijar citas o actividades y no olvidarlas.

Mostrar la agenda y preguntar: ¿Quién ha visto uno de estos libritos antes? ¿Dónde? *(Esperar respuestas.)* Esto lo usan, por ejemplo, los médicos para saber cuántos y qué enfermos tienen que visitar cada día. También los pastores para recordar lo que tienen que hacer a diario. Hay muchas cosas que hacer cada día y cada semana, pero no podemos hacerlo todo, tenemos que elegir y decidir qué es lo que vamos a hacer día a día. Por eso este librito ayuda tanto.

Una agenda-calendario nos ayuda a recordar que sólo disponemos de unas pocas horas cada día para llevar a cabo las cosas más importantes que debemos hacer. Así que las escribimos aquí por orden de importancia. Yo siempre anoto que tengo que preparar el mensaje de los niños.

Quizá vosotros queréis visitar a los abuelitos, o quizá vuestros papás os piden que arregléis y limpiéis vuestro cuarto cada semana, o tenéis que ensayar en el coro de niños de la iglesia. A fin de recordarlo y cumplirlo lo escribís en la agenda: sábado por la mañana, limpiar el cuarto; sábado por la tarde, visitar a los abuelitos; domingo después de comer, ensayo del coro.

Hace muchos años Moisés se dio cuenta de la importancia que tiene el controlar cada día de nuestra vida. En aquellos días sabían ya que "el tiempo es oro", o mejor aún, "el tiempo es vida". Por eso en un poema que él escribió, dijo: *(Leer de la Biblia.)* "Enséñanos a contar nuestros días, de tal manera que traigamos al corazón sabiduría."

¿Qué planes tenéis para esta semana que hoy comienza? *(Esperar respuestas.)* Es bueno y sabio planear cada día para que no se nos escape el tiempo, porque perder el tiempo es perder la vida. Sed sabios y planead todo aquello importante y bueno que debéis hacer. Lo que se planea se suele cumplir.

Oración: Señor, gracias por la vida y por cada día y hora que nos das. Enséñanos a usar cada día de tal manera que tú y nosotros estemos contentos de como lo hemos usado. Gracias porque cada día es una nueva oportunidad para hacer las cosas mejor que ayer. Ayúdanos a lograrlo. Amén.

29

LAS SEMILLAS SON PROMESAS DE DIOS

Es como un grano de mostaza que, cuando es sembrado en la tierra, es la más pequeña de todas las semillas de la tierra. Pero una vez sembrado, crece y se convierte en la más grande de todas las hortalizas, y echa ramas muy grandes, de modo que las aves del cielo pueden anidar bajo su sombra (Marcos 4:31, 32).

Verdad a enseñar: Seamos agradecidos por las semillas, siempre nos recuerdan la promesa y la voluntad de Dios de conservar la vida en la tierra.

Objetos: Diferentes semillas de flores, legumbres, hortalizas, frutos y árboles. Puede llevarlas en frascos de cristal.

¿Qué es esto? (*Mostrar las distintas semillas.*) ¿Sabéis qué clase de semillas son? (*Explicárselo.*) ¿Para qué sirven las semillas? ¿Habéis visto qué sucede cuando plantamos una semilla? (*Esperar respuestas.*)

La primavera y el verano son las estaciones del año que nos invitan a dar gracias a Dios por las bendiciones de la tierra. Demos hoy gracias a Dios por las semillas. Las semillas son muy importantes para la vida en la tierra, pues sirven para producir los frutos del campo que son los alimentos básicos de personas y animales. Son también el recuerdo de la promesa de Dios a Noé de preservar la vida en la tierra. Pensad en lo maravilloso y milagroso que es que dentro de estas semillas, según su especie, hay un árbol, una flor, una espiga de trigo o una mazorca de maíz.

Así que dentro de estas semillas está la promesa de continuidad de la vida. ¿De quién es esa promesa? De Dios, quien ha prometido que "mientras exista la tierra, no cesarán la siembra y la siega..." (Génesis 8:22).

En Palestina, la tierra donde Jesús nació, se conoce la semilla de la mostaza, que es una de las más pequeñas de la tierra, pero que cuando crece se convierte en un arbusto frondoso en el que pueden hacer sus nidos los pájaros.

Seamos agradecidos y demos gracias a Dios por toda bendición, sin olvidar las que parecen pequeñas e insignificantes, pues todas sirven para nuestro bienestar. Especialmente en esta ocasión por la variedad de semillas que el Señor nos ha dado y que contienen en sí mismas la promesa de Dios de conservar la vida en la tierra, en la manera tan preciosa y abundante que podemos observar.

Oración: Señor, gracias por tus semillas, son promesas de bendiciones. Tú eres muy bueno y generoso para con todos, porque tu tierra, tus semillas, tu lluvia y tu sol son para todos. Señor, ayúdanos a vivir siempre con gratitud y alabanza. Amén.

30

QUITATE LA MASCARA

El hombre mira lo que está delante de sus ojos, pero Jehovah mira el corazón (1 Samuel 16:7c).

Verdad a enseñar: Podemos usar una máscara o disfraz para escondernos de los demás, pero de Dios no nos podemos ocultar ni tampoco engañarle.

Objeto: Máscara o disfraz de carnaval.

¿Os gustan los disfraces y que nadie sepa quiénes sois? ¿Lo habéis hecho alguna vez? ¿De qué os gusta vestiros: Blanca Nieves, Pinocho o de qué? (*Esperar respuestas.*)

Las reuniones de disfraces son divertidas porque podemos jugar a ocultarnos detrás de una máscara y que nadie sepa quiénes somos. Y, por supuesto, nosotros probablemente tampoco reconoceremos a los demás. Las personas tienen que adivinar quién es quien. Es realmente un juego divertido.

Pero a veces la gente mala lleva máscaras no por juego sino para hacer daño. No quieren ser reconocidos y por eso ocultan sus caras. ¿Los habéis visto en las películas? Piensan que así se protegen de la policía. Creen que pueden hacer lo que quieran y escapar porque nadie los va a reconocer.

Pero Dios nunca puede ser burlado o engañado. Aunque te escondas detrás de la máscara o disfraz más ingenioso, con todo Dios siempre sabe quién eres. Nunca podemos ocultarnos de Dios. Esto lo saben los hombres desde hace miles de años (Salmo 139). Las personas no pueden ver a través de las máscaras, pero Dios sí puede. La Biblia dice (leer): "El hombre mira lo que está delante de sus ojos, pero Jehovah mira el corazón." Dios nos conoce muy bien.

A veces hacemos algo que no está bien. Quizá hemos roto algo de mamá o le hemos desobedecido quitándole algo del refrigerador. La mamá quizá no logre saber qué hicimos o quién fue, pero Dios sí que lo sabe, porque él lo ve todo y lo sabe todo, y nos vio a nosotros. No tratemos nunca de engañar a Dios, es imposible, sólo nos engañamos a nosotros mismos.

Oración: Señor, gracias porque tú lo ves todo y lo sabes todo. Eso quiere decir que cuando estoy en apuros tú me ves y me ayudas; pero también me ves cuando me equivoco sin querer o hago el mal a propósito. Ayúdame a ser siempre sincero y no ocultar nunca la verdad, aunque vaya en contra mía. Yo sé que tú me amas a pesar de todo y me perdonas cuando voy a ti con sinceridad. Amén.

31

RECORDEMOS

Haced esto en memoria de mí (1 Corintios 11:24c).

Verdad a enseñar: No olvidemos nunca que Jesús murió por nosotros.

Objeto: Un lazo de cinta de color vivo en el dedo, o un detalle extra y llamativo en la corbata.

¿Sabéis por qué llevo esto? *(Señalar el dedo o la corbata.)* Me lo puse esta mañana porque no quiero olvidarme de algo que deseo hacer hoy. Pero ahora no recuerdo qué debo recordar. *(Simular como que hace memoria.)* ¡Ah sí, ya me acuerdo! Después del culto tengo que ir a visitar a uno de los niños que está enfermo. ¿Veis cómo este lazo en el dedo me sirve? Me ayudó a recordar algo importante.

¿Hacéis vosotros cosas así para recordar lo que tenéis que hacer? Decidme, ¿qué hacéis vosotros? A veces las personas se lo apuntan en un papel que ponen luego en la puerta del refrigerador o en el espejo del baño para verlo y recordar.

Hoy es el llamado Día de Todos los Santos. Muchas personas van a los cementerios en este día y llevan flores en recuerdo de familiares que murieron. Para muchos es un día de tristeza y de dolor. Pero esta es una fiesta cristiana que celebraban los primeros discípulos de Jesús para recordar a los héroes de la fe que habían muerto por Cristo. No era un día de llanto y tristeza, sino más bien de victoria, alabanza y gratitud.

Hace casi dos mil años Cristo murió en la cruz del Calvario por nosotros. No debemos olvidar este hecho. Para recordarlo Cristo nos dejó lo que llamamos la cena del Señor. Al tomar el pan y el vino recordamos cómo Cristo entregó su cuerpo y derramó su sangre por nosotros.

Oración: Amado Jesús, gracias porque tú tomaste nuestro lugar en la cruz y pagaste por nuestros pecados. Nosotros queremos recordarlo y te damos gracias porque podemos hacerlo mediante el pan y el vino de la Cena. También recordamos y damos gracias por los héroes de la fe que recordamos en el Día de Todos los Santos. Amén.

32

LA ALEGRIA LLEGA PRONTO

Por la noche dura el llanto, pero al amanecer vendrá la alegría (Salmo 30:5b).

Verdad a enseñar: No importa cuán tristes nos sintamos ahora, pronto vendrá la alegría.

Objeto: Una cebolla grande.

¿Qué es esto? ¿Para qué sirve? ¿Os gusta comerla? (*Esperar respuestas.*) ¿Sabéis qué sucede cuando se corta con cuchillo y se tiene cerca de la cara? (*Esperar respuestas.*) La persona empieza a llorar.

No es porque cortar cebollas sea algo muy duro y desagradable. Hay una buena razón que explica por qué sucede. La cebolla tiene mucho jugo dentro y al cortarla con el cuchillo salta el jugo en gotitas muy pequeñas, algunas llegan a los ojos y causan una leve irritación. No nos hace realmente daño. Los ojos reaccionan produciendo lágrimas para lavar los ojos y eliminar la irritación.

No te apures, cuando la cebolla nos hace llorar es algo temporal, no dura mucho. Y así sucede también, en general, con todas las penas y tristezas que nos hacen llorar en la tierra. "No hay mal que dure cien años", decían nuestros padres. Cuando te caes y te hieres una rodilla, duele bastante y lloras, pero pasado un rato te sientes mejor y dejas de llorar. ¿Verdad que es así?

Hace muchos años el rey David se dio cuenta de que esa es la realidad de la vida, y en el Salmo 30:5 nos dice: (*Leer.*) "Por la noche dura el llanto, pero al amanecer vendrá la alegría." Y varios siglos después esa verdad quedó demostrada en el día de la resurrección de Cristo.

María, la madre de Jesús, otras mujeres y discípulos lloraron amargamente por la muerte del Señor. Fueron días muy dolorosos y tristes para los primeros creyentes. Y, con todo, fue algo temporal. Jesús se les apareció vivo el domingo de resurrección. Entonces olvidaron las lágrimas y el corazón se les llenó de gozo otra vez. La noche del llanto pasó y la alegría llegó con la mañana.

Así que el próximo día que lloréis porque os habéis herido o porque estéis tristes, recordad que mañana las cosas serán mejor.

Oración: Señor, gracias porque el dolor y el llanto no duran mucho, pues pronto vuelve la risa. Gracias también porque cuando lloramos tú estás cerca, nos acompañas, consuelas y fortaleces. Amén.

33

EL DIA DE LA INDEPENDENCIA

Si vosotros permanecéis en mi palabra, seréis verdaderamente mis discípulos; y conoceréis la verdad, y la verdad os hará libres (Juan 8:32).

Verdad a enseñar: La bandera del país simboliza nuestra independencia, ideales y derechos. La bandera cristiana simboliza a Cristo, su reino y la salvación que sólo él nos da.

Objetos: La bandera del país y la bandera cristiana.

¿De dónde son estas banderas? ¿Qué simbolizan? (*Esperar respuestas.*) ¿Cuál es la fecha de la independencia de nuestro país? ¿Quién es el héroe nacional de nuestra nación? ¿Cuáles son nuestros derechos como ciudadanos de este país? Tenemos cinco derechos básicos y son: 1. El derecho a la alimentación. 2. El derecho a estudiar para tener el mínimo de conocimientos necesarios. 3. El derecho a un trabajo para ganar con nuestras manos nuestro sustento diario. 4. El derecho a tener amigos con los que simpatizar y relacionarnos. 5. El derecho a tener un carácter propio.

Pero no sólo tenemos derechos, sino también obligaciones.

¿Cuáles son nuestras responsabilidades como ciudadanos? (*Esperar respuestas.*) Entre otras, cumplir las leyes, pagar los impuestos, defender a la nación en caso de peligro. etc.

También somos ciudadanos del reino de Dios. ¿Quién me puede decir cuáles son nuestros derechos y deberes en el reino de los cielos? Todos los derechos los tenemos gracias a Cristo Jesús. El es nuestro supremo Libertador y Héroe. El primer derecho que tenemos, gracias a Cristo, es que todos los que creemos en él y le recibimos en el corazón somos "hechos hijos de Dios" (Juan 1:12), y disfrutamos del perdón de los pecados y de la vida eterna. Nuestros deberes están descritos en el Pacto de nuestra iglesia.

En nuestro país celebramos el Día de la Independencia y estamos muy orgullosos y satisfechos de ser un país libre e independiente, pero hay otra libertad e independencia personal e interna que vale mucho más y que sólo se alcanza en Cristo Jesús, la Biblia dice: "Si el Hijo os hace libres, seréis verdaderamente libres."

Oración: Señor, gracias por nuestros héroes nacionales, porque mediante su esfuerzo somos ciudadanos libres en un país libre. Pero, sobre todo, gracias porque mediante tu Hijo Jesús somos hechos ciudadanos de tu reino celestial; gracias porque él nos libera del dominio del pecado y del temor de la muerte. Amén.

34

TODOS NECESITAMOS UN
CORAZON NUEVO

Os daré un corazón nuevo y pondré un espíritu nuevo dentro de vosotros. Quitaré de vuestra carne el corazón de piedra y os daré un corazón de carne (Ezequiel 36:26).

Verdad a enseñar: Cristo nos salva transformándonos por dentro, no lavándonos y perfumándonos por fuera.

Objetos: Dos corazones hechos de cartulina. Uno deformado y de color gris, simulando piedra. Otro bien hecho, de color rojo, simulando carne.

(*Leer el versículo de Ezequiel 36:26.*) ¿Por qué dice el Señor esto? Porque cuando tenemos malos pensamientos, y malos hábitos y actitudes se nos va enfermando y poniendo duro el corazón. Y el pecado es como las enfermedades, hay que curarlo por dentro, no por fuera.

Recuerdo que unos niños tenían en su casa un cerdito chiquitín. Le habían visto nacer y le habían cuidado con biberón. Le querían mucho y jugaban con él.

El cerdito se fue haciendo grande y cada vez le gustaba más escaparse de casa para buscar entre la basura y revolcarse en los charcos de agua sucia. Los niños, que le querían mucho a pesar de todo, le reñían, le daban consejos, le bañaban, le echaban perfume, le ponían un listón muy bonito de colores y le guardaban dentro de casa. ¿Sabéis qué volvía a hacer el cerdito cada vez que podía? Lo mismo que siempre. Cada vez que abrían la puerta él estaba listo para escaparse, revolver entre la basura y revolcarse en los charcos sucios.

Los niños lloraban y preguntaban: ¿Qué podemos hacer? ¿Cómo podríamos cambiar las malas costumbres del cerdito y su manera de ser? No sabían qué hacer. Y vosotros, ¿tenéis alguna idea? (*Esperar respuestas.*)

Al fin fueron a preguntar a un hombre sabio y éste les dijo:

—Sólo hay una forma de lograrlo.

—¿Cuál es? —gritaron los niños.

—Cambiarle su corazón de cerdito y ponerle uno de corderito.

—¿Por qué? —preguntaron los niños.

—Porque mientras tenga corazón de cerdito va a querer hacer todas las cosas que les gustan a los cerditos: Estar entre la basura y revolcarse en los charcos sucios. Porque la tendencia del cerdito es hacia la basura. Pero a los corderitos no les gusta lo sucio, sino lo limpio.

Así también sucede con las personas, tenemos tendencia al mal. Desde pequeños decimos mentiras, quitamos cosas, peleamos, gritamos, somos desobedientes, hacemos burla. La única manera de cambiar a la persona es dándole un corazón nuevo.

Pero eso sólo puede hacerlo Dios. Lo hace por medio de su Palabra y de su Espíritu, que actuando en nosotros nos va cambiando de día en día. Dios no nos cambia lavándonos por fuera y poniéndonos perfume, como querían hacer los niños con el cerdito, sino cambiándonos por dentro.

Dios dice: "Dame, hijo mío, tu corazón." ¿Quieres tú darle tu corazón a Dios?

Oración: Señor, gracias por tu amor y paciencia para con nosotros. Gracias porque tú nos cambias por dentro dándonos un corazón nuevo. Haznos cada día más semejantes a tu Hijo Jesús. Amén.

35

RESURRECCION-TRANSFORMACION

Porque sonará la trompeta, y los muertos serán resucitados sin corrupción; y nosotros seremos transformados (1 Corintios 15:52b).

Verdad a enseñar: Como Cristo resucitó, así también resucitaremos nosotros y seremos transformados, al igual que un gusano se transforma en mariposa.

Objeto: Caja con gusanos de seda, o los capullos donde está encerrado el gusano y de donde saldrá la mariposa. Si esto no es posible, buscar un dibujo en el que aparezca el gusano y la mariposa.

¿Habéis visto alguna vez un gusano de seda? Yo sí, son verdes y amarillos y comen mucho. En mi tierra había muchos cuando yo era niño. Se alimentan con hojas verdes de morera y crecen mucho en poco tiempo.

¿Sabéis qué ocurre con estos gusanos? Un día empiezan a producir un hilo finísimo de seda con el que construyen una casa (el capullo), donde al final quedan encerrados. Por un tiempo no los vemos, pero dentro del capullo está ocurriendo un milagro, una transformación prodigiosa. ¿Sabéis qué está pasando dentro? El gusano se transforma en mariposa. Cuando llega el tiempo oportuno se abre el capullo y, ¿sabéis qué sale? Sale la mariposa, muy bonita y airosa, que empieza a volar.

Antiguamente, antes de que se descubriesen las llamadas fibras artificiales, se usaba mucho la seda que producen estos gusanos, para fabricar blusas, camisas, pañuelos, corbatas, etc. Este conocimiento y habilidad procedían principalmente de la China y la India.

Cada mariposa que veis a vuestro alrededor en el campo, fue primero un gusano, que murió y se transformó en mariposa.

Hoy es el domingo de Resurrección. ¿Qué celebramos en este día? (*Esperar respuestas.*) Después de morir en la cruz, Cristo Jesús fue puesto en una tumba, como cuando el gusano de seda se encierra en el capullo, pero el domingo resucitó, salió de la tumba así como sale una preciosa mariposa de su capullo. La Palabra de Dios nos dice que nosotros, los que creemos en Cristo y le hemos recibido en el corazón, también resucitaremos y seremos transformados al igual que lo fue Jesús. Dios no quiere que vivamos vidas pobres y limitadas como gusanos, sino vidas radiantes como mariposas.

Oración: Nuestro buen Dios, gracias porque tu Hijo Jesucristo resucitó. Gracias por tu promesa de que nosotros también resucitaremos y seremos transformados como Cristo. Eres un Dios maravilloso que puedes hacer milagros como el del gusano y la mariposa, y sabemos que también lo puedes hacer con nosotros. Amén.

36

SOLO SIRVE SI SE APLICA

Porque la Palabra de Dios es viva y eficaz, y más penetrante que toda espada de dos filos. Penetra hasta partir el alma y el espíritu, las coyunturas y los tuétanos, y discierne los pensamientos y las intenciones del corazón (Hebreos 4:12).

Verdad a enseñar: La Palabra de Dios, al igual que el jabón, es muy eficaz, pero sólo si se aplica.

Objetos: Una Biblia y una pastilla de jabón. Tener también preparadas una palangana, agua y toalla. Quedar de acuerdo con un niño mayorcito para que aparezca con las manos muy sucias.

¿Qué es esto? (*Mostrar la pastilla de jabón.*) ¿Para qué sirve? (*Esperar respuestas.*) Sí, sirve para lavar y limpiar. Pero, ¿qué hay que hacer para que sirva? Usarlo, aplicarlo. Sólo sirve cuando lo combinamos con agua y se aplica a lo que está sucio.

(*Explicar que le había pedido a un niño que ayudara trayendo sus manos muy sucias.*)

¿Verdad que a veces está así de sucio nuestro cuerpo, especialmente nuestros pies y manos? Sobre todo después de haber jugado mucho en la tierra y el polvo.

Veamos si es verdad que el jabón y el agua sirven para limpiar. (*Poner agua en la palangana y pedir al niño con las manos sucias que se lave usando el jabón.*) Efectivamente, el agua y el jabón han cumplido bien y las manos de nuestro amiguito están ahora limpias, y huelen a limpio.

¿Qué nos enseña esto? Que la Palabra de Dios sólo sirve si la usamos, si la aplicamos a nuestro corazón. ¿Cómo podemos aplicar la Palabra de Dios? Escuchándola, guardándola y practicándola. Por ejemplo: El Señor Jesús nos da lo que se ha dado en llamar la regla de oro: "Todo lo que queráis que los hombres hagan por vosotros, así también haced por ellos" (Mateo 7:12). ¿Qué quiere decir? Que si queréis que los demás sean buenos con vosotros, vosotros tenéis que ser buenos con ellos.

Oración: Señor, gracias porque tu Palabra es tan eficaz como el jabón cuando la aplicamos a nuestra vida. Ayúdanos a usarla cada día para que nuestra vida limpia y nuestro olor a limpio te honren a ti, haga bien a los demás y nos haga felices a nosotros. Amén.

MERECE LA PENA SER DILIGENTE

Ve a la hormiga, oh perezoso; observa sus caminos y sé sabio. Ella no tiene jefe, ni comisario, ni gobernador; pero prepara su comida en el verano, y guarda su sustento en el tiempo de la siega (Proverbios 6:6-8).

Verdad a enseñar: Los que piensan y trabajan alcanzan la felicidad y el éxito.

Objetos: Dibujo de un rey, tres hijos y tres casas. Varias velas y cerillos. Se puede también lograr el mismo efecto con un franelógrafo.

(*Mostrar el dibujo o señalar el franelógrafo a medida que se habla.*) Leí hace mucho tiempo la historia de un rey y sus tres hijos. El rey era ya viejito y quería saber cuál de sus tres hijos merecía ocupar el trono cuando él muriera. ¿Sabéis qué hizo el rey? Pensó en someterles a una prueba. ¿Sabéis cómo lo hizo? Como tenía tres casas iguales, les pidió que cada uno de ellos llenara una de las casas con algo, y tenían que hacerlo en un día, de sol a sol. Y, además, les anunció que al que lo hiciera antes y mejor sería el heredero del trono. Aquella parecía una tarea muy difícil.

¿Sabéis qué hicieron los hijos? Se pusieron a pensar. Antes de empezar a trabajar hay que pensar. A veces no lo hacemos y por esa causa no nos salen las cosas bien o trabajamos más de lo que debiéramos. Después de pensar, cada uno se fue a actuar.

El primer hijo era muy fuerte y pensó que lo mejor era llenar la casa de paja, pues la paja pesa poco y abulta mucho. Así que se puso a trabajar para cumplir con el plan.

El segundo hijo era perezoso y pensó que no merecía la pena el esfuerzo. Consideró que era muy difícil y que ninguno lo conseguiría. Así que decidió no hacer nada. El decía: "Mis hermanos trabajarán, pero yo me reiré."

El tercero se fue al pueblo y no regresó hasta que ya avanzaba la tarde y se acercaba la puesta del sol.

Cuando ya faltaba una hora para que el sol se pusiera y se

terminara el día, el primer hermano que había pensado llenar la casa con paja, miraba que le faltaba todavía un cuarto por llenar y ya no tenía ni fuerzas ni más paja. El segundo se reía mucho viendo a su hermano sudar y viendo que el tercero aparentemente todavía no había hecho nada.

El hermano que se había marchado al pueblo, volvió cuando ya faltaba poco para terminar el día y traía un misterioso paquete debajo del brazo. ¿Sabéis qué contenía el paquete? Velas. ¿Qué pensáis que hizo con las velas? (*Esperar respuestas.*) Sí, puso una vela en cada cuarto y las encendió. La casa inmediatamente se llenó de luz.

El rey llegó a la hora en punto para examinar el trabajo de sus hijos y decidir quién de ellos sería el rey cuando él muriera. ¿A que no sabéis que hizo el rey cuando vio lo que cada uno de sus hijos había hecho? (*Esperar respuestas.*) Al que trabajó con la paja pero no pudo terminar, le alabó y le premió por su diligencia y actitud positiva. Al que no hizo nada le reprendió y le castigó. Al que llenó la casa de luz, le nombró heredero del trono. El rey le premió sobre los demás porque había sido el más diligente en pensar y trabajar. Había pensado más y trabajado menos.

Oración: Señor, gracias porque tú siempre eres bueno, alentador y justo. Gracias porque nos estimulas a hacer bien nuestras tareas. Ayúdanos a ser siempre diligentes en la vida, como las hormigas. Diligentes en pensar y trabajar en el hogar, en la escuela y en la iglesia. Amén.

38

¿A QUE VINO CRISTO?

Porque el Hijo del hombre ha venido a buscar y a salvar lo que se había perdido (Lucas 19:10).

Verdad a enseñar: "Perdido" es la palabra y la condición más desalentadora y triste, pero Cristo vino a salvarnos de esa situación.

Objetos: Un monedero con dinero y una manzana un poco podrida.

¿Qué es estar perdido? *(Esperar respuestas.)* Es no saber dónde estamos ni cómo regresar a casa. ¿Os habéis perdido alguna vez en un supermercado o en la calle? *(Esperar respuestas.)* ¿Verdad que nos sentimos muy mal cuando eso sucede.

Dice la Biblia que Cristo Jesús vino "a buscar y a salvar lo que se había perdido". *(Enfatizar las palabras "buscar", "salvar", "perdido".)*

Os voy a ilustrar esta enseñanza de la Biblia con este monedero y esta manzana. Así sabréis bien lo que significa "estar perdido" según la Biblia.

El lugar apropiado de estar del monedero es mi bolsillo. Ahí es donde debe estar *(hacer como que lo guarda)*, pero si en vez de estar en mi bolsillo, está ahí tirado *(arrojarlo al suelo)*, entonces el monedero está perdido. Lo está porque se halla fuera de su sitio. Su sitio es mi bolsilo, no tirado en el suelo. De igual manera, nosotros estamos perdidos porque nuestro lugar es estar con Dios, pero por nuestro pecado y rebeldía vivimos lejos de Dios.

Pero la palabra "perdido" tiene también otro sentido según la Biblia. *(Mostrar la manzana.)* También decimos que una manzana se ha echado a perder cuando tiene el gusano dentro y está podrida. *(Cortar la manzana para que se vea por dentro.)* La manzana por fuera parece normal y buena, pero por dentro tiene el gusano, está podrida, se ha echado a perder. Así también sucede con nosotros, tenemos el gusano del pecado en el corazón y estamos perdidos.

Cuando la Biblia dice que Cristo vino a buscar y a salvar lo que se había perdido, se refiere a nosotros, grandes y pequeños. Estamos perdidos porque estamos fuera de nuestro sitio (estar con Dios), y porque tenemos el gusano del pecado dentro del corazón.

Oración: Señor, gracias porque sabiendo tú que estábamos perdidos viniste a buscarnos y a salvarnos. Gracias porque Jesús es el camino para volver a la casa del Padre y porque la sangre de Jesús nos limpia de todo pecado. Amén.

39

EL VALOR DE LO PEQUEÑO

Aquí hay un muchacho que tiene cinco panes de cebada y dos pescaditos. Pero, ¿qué es esto para tantos?... Entonces Jesús tomó los panes, y habiendo dado gracias, los repartió (Juan 6:9, 11a).

Verdad a enseñar: Lo pequeño es también importante y lo poco en las manos de Dios es suficiente.

Objetos: Una hoja grande de cartulina con las letras del abecedario, los números del 0 al 9, los tres colores básicos y las siete notas de la escala musical, todo pintado en la cartulina.

¿Sabéis cuántas letras hay en el abecedario? Hay veintiocho incluyendo la "Ch". Con esas pocas letras se forman todas las palabras del diccionario y se han escrito todos los libros que hay en el mundo.

¿Sabéis cuántos números existen? Sólo diez. ¿Cuales son? 0, 1, 2, 3, 4, 5, 6, 7, 8, 9. Con ellos podemos hacer toda clase de operaciones de matemáticas.

¿Sabéis cuántas notas tiene la escala musical? Sólo siete. ¿Cuáles son? Do, Re, Mi, Fa, Sol, La, Si. Y con esas siete notas se han escrito todas las composiciones musicales del mundo.

¿Sabéis cuántos colores básicos hay? Sí, solamente tres. ¿Cuáles son? Rojo, amarillo y azul. Con esos tres colores básicos se pueden hacer toda clase de combinaciones y crear la gran variedad de tonos de colores que vemos a nuestro alrededor.

Cada una de estas cosas mencionadas es pequeña y aislada parece insignificante y que vale poco. Pero cada una es realmente importante y valiosa y todas juntas lo son muchísimo más. Así es con los niños. Son pequeños, débiles y pareciera que no sirven para mucho, pero para Dios son muy importantes, y para nosotros como padres e iglesia también lo son.

Un día Jesús quería ayudar a cinco mil personas que se habían reunido para escucharle. Tenían hambre y no era fácil volver a casa ni comprar pan, así que Jesús decidió darles de comer. Allí parecía que nadie tenía nada, pero de pronto el apóstol Andrés presentó a Jesús un niño que tenía cinco panes y dos pececillos. Aquello era muy poco, pero en las manos de Jesús fue suficiente para ayudar a muchos. Vosotros sois pequeños, no sabéis mucho ni tenéis mucho, pero si os ponéis en las manos de Cristo Jesús él puede usaros para traer bendición a muchos. Así hizo un día el niño Samuel cuando Dios lo llamaba estando en el templo. ¿Queréis vosotros orar conmigo al Señor y decirle que nos ponemos en sus manos para que nos use para bendición de muchos?

Oración: Señor, gracias porque tú nos amas y porque tú usas lo pequeño y lo que parece insignificante para hacer con ello grandes cosas. Gracias por aquel niño que entregó a Jesús sus panes y pececillos. Nosotros también nos ponemos en tus manos y te damos lo que somos y tenemos. Aquí estamos, acéptanos y úsanos. Amén.

40

LA IMPORTANCIA DEL EJEMPLO

Puestos los ojos en Jesús... (Hebreos 12:2a).

Verdad a enseñar: Lo que hacemos y cómo nos comportamos tiene mucha importancia; otros lo ven y lo pueden imitar.

Objeto: Un dibujo de un rebaño de ovejas caminando. Todos siguen al cordero que va a la cabeza.

Se cuenta de un niño que era pastorcillo y estaba un día en la escuela. El maestro sabía que su papá tenía rebaños de ovejas y corderos, y para ayudarle con las matemáticas le preguntó:

—Juan, si tu papá tiene diez corderitos y uno salta la cerca del corral, ¿cuántos le quedarán?

¿Cuántos decís vosotros que le quedarían? (*Esperar respuestas.*)

Juan se quedó pensativo un ratito y al fin respondió:

—Maestro, no quedaría ningún cordero.

A lo que el maestro le respondió:

—Juan, veo que no has estudiado mucho las lecciones de matemáticas porque todavía no dominas ni la suma ni la resta.

Juan entonces le dijo:

—Maestro, no sé si conozco bien las matemáticas, pero sí que conozco bien a las ovejas y a los corderos, y sé que cuando uno salta la cerca todos los demás van detrás de él.

Y así sucede muchas veces con las personas, especialmente con los niños. Cuando uno se porta mal en la clase, muchos le imitan. Parece que nos gusta más y nos es más fácil imitar al que se hace el desentendido y no ayuda, que a aquel que sí ayuda a la maestra.

Tengamos cuidado de cómo nos comportamos en la escuela, en casa, en el templo o en la calle. Muchos miran y pueden imitar nuestro comportamiento. Debemos procurar que vean e imiten siempre lo mejor, no lo peor. ¿Sabéis quién es nuestro mejor ejemplo y guía? Sí, es Cristo Jesús. Por eso el apóstol Pablo nos dice: "Puestos los ojos en Jesús. . ."

Oración: Señor, gracias por estos niños preciosos que tú nos has dado para que los cuidemos y los enseñemos en tu nombre. Ayúdanos a todos a que tengamos puestos los ojos en Jesús para que cuando otros nos miren vean a Cristo en nosotros y puedan imitar siempre lo mejor. Amén.

41

NO TODO SE PUEDE COMPRAR

CON DINERO

Entonces Pedro le dijo: ¡Tu dinero perezca contigo, porque has pensado obtener por dinero el don de Dios! (Hechos 8:20; comparar 1 Pedro 1:18, 19).

Verdad a enseñar: Las mejores cosas de la vida no se pueden comprar con dinero, tales como el amor, la amistad, la salud, la vida, el cielo, etc.

Objeto: El billete de banco (papel moneda) o el cheque de más valor de que pueda disponer.

(Mostrar el dinero o cheque.) ¿Os gusta a vosotros traer dinero? Sí, yo sé que sí. A mí también. Tener dinero es algo bueno y todos necesitamos un poco de dinero para vivir. Pero si sólo tenemos dinero no seremos en realidad muy ricos ni afortunados, sino quizá los más miserables del mundo. La Biblia no dice nada malo en contra del dinero, pero sí dice que "el amor al dinero es la raíz de todos los males".

Una vez me contaron una historia de un niño y su amor por el dinero. Pensaba mucho en el dinero. No hacía nada por nadie si no le daban dinero a cambio. Y así sucede con muchas personas. Aquel niño no se daba cuenta de que las cosas más importantes de la vida jamás se consiguen con dinero. ¿Cuánto dinero daríais por vuestro papá o mamá?

Un día, aquel niño, que se llamaba Miguel, fue a la cocina de su casa a desayunar y puso en el plato de su mamá una nota escrita por él. Cuando su mamá la leyó se quedó sin poder hablar y con los ojos muy abiertos de asombro. Miguel había escrito:

— Por hacer la cama............................ 5 pesos
— Por sacar la basura .... 5 pesos
— Por limpiar los zapatos a papá......... 5 pesos
— Por ser un buen muchacho............... 5 pesos
— Por hacer las tareas de la escuela .. 5 pesos
— Propinas y extras............................. 5 pesos
_____
Mamá debe a Miguel en total..............30 pesos

¿Sabéis lo que hizo la mamá de Miguel? Se sonrió y no dijo nada. No dijo ni pío. ¿Sabéis qué hizo después a la hora de la comida? Puso en el plato de Miguel los treinta pesos que él había reclamado. Pero también había una hoja de papel con algo escrito que Miguel leyó. ¿Sabéis qué decía aquel papel? Decía algo así:

```
— Por amar mucho a Miguel .................. Nada
— Por cuidarle cuando está enfermo ...... Nada
— Por comprarle la ropa que necesita .... Nada
— Por la comida de todos los días .......... Nada
— Por el cuarto de dormir ...................... Nada
— Por los gastos de la escuela ............... Nada
                                                 _____
Miguel debe a mamá en total .................. Nada
```

¿Qué creéis que pensó e hizo Miguel al leer la nota de su mamá? ¿Pensáis que se quedó con los treinta pesos de mamá? No, devolvió el dinero, pidió perdón a su mamá, y le dio un beso y un abrazo muy fuerte.

No, no todo en la vida es dinero. Hay muchas cosas, en realidad las más importantes, que no se pueden comprar con dinero. ¿Le pedís vosotros a vuestra mamá o vuestro papá dinero por ayudar en la casa? No, no debéis de pedirlo. Esa es vuestra contribución voluntaria y generosa para que todo sea más bonito en vuestro hogar. Ellos os dan de vez en cuando un poquito de dinero para que tengáis para vuestros pequeños gastos de niños y para que vayáis conociendo el uso y el valor del dinero, pero nunca como paga por vuestra ayuda en el hogar.

Oración: Señor, gracias por el dinero y por las cosas que se pueden comprar con dinero. Pero sobre todo gracias porque las mejores cosas nunca se pueden comprar con dinero, sino que nos son dadas gratuitamente. Tú nos las das generosamente para nuestro beneficio y felicidad. Gracias por los papás, la iglesia, la escuela y, sobre todo, por Cristo Jesús, quien murió por nosotros en la cruz, y así podemos recibir gratis la vida eterna y el cielo. Amén.

42

¿QUE VALE MAS, LA HABILIDAD
O LA FUERZA?

Toda buena dádiva y todo don perfecto proviene de lo alto y desciende del Padre de las luces... (Santiago 1:17).

Verdad a enseñar: Todo lo que somos y tenemos nos viene de Dios, pero como en realidad nadie es completo y perfecto en sí mismo, debemos cooperar ayudándonos unos a otros.

Objeto: Un dibujo de un elefante y un mono.

¿Cómo se llaman estos animales? ¿Los habéis visto en el parque zoológico? ¿Cuál de ellos os gusta más? (*Esperar respuestas.*)

Se cuenta que en una ocasión el elefante y el mono estaban discutiendo. El elefante le decía al mono que en la vida lo mejor y más importante es tener mucha fuerza, como los elefantes la tienen. El mono, por el contrario, decía que lo más importante es tener habilidad y agilidad, como los monos lo tienen. Cada cual estaba defendiendo aquello que era propio en cada uno de ellos. Los elefantes son muy fuertes, pero no son tan hábiles ni ágiles como los monos. Y los monos, por el contrario, no son tan fuertes, pero si son muy hábiles y ágiles.

Como no se ponían de acuerdo fueron a ver a Don Cuervo y a Doña Urraca que son dos pájaros considerados como sabios entre los animales del bosque. Les plantearon el problema y ellos estuvieron de acuerdo en estudiarlo y decidir. Mientras que lo hacían, pidieron al elefante y al mono que, por favor, fueran a buscar manzanas porque las necesitaban.

Para llegar hasta los manzanos tenían que cruzar un río. Aquí el elefante ayudó al mono. Este se subió sobre el lomo del elefante y cruzó el río muy cómodo. Pero al llegar a donde estaban los árboles se dieron cuenta de que las mejores manzanas estaban en las ramas más altas de los árboles y allí no llegaba el elefante. Pero el mono con su gran habilidad y agilidad sí las alcanzaba. Y así ayudándose el uno al otro recogieron las manzanas y cumplieron con la tarea encargada.

Volvieron con las manzanas a Don Cuervo y Doña Urraca y les preguntaron si ya habían resuelto el dilema y tenían respuesta para su pregunta. Estos que eran muy inteligentes y sabios preguntaron a su vez al elefante y al mono cómo habían cumplido con la tarea. Ellos explicaron con detalle cómo lo habían hecho. Entonces Don Cuervo y Doña Urraca les respondieron: "Por vuestra propia experiencia habéis visto que la fuerza es importante y con ella se consiguen algunas cosas, y que la habilidad también es importante y con ella también se consiguen otras cosas. Pero en definitiva ni la fuerza lo es todo ni la habilidad tampoco. Lo que más vale es la cooperación, el ayudarse unos a otros." Cada cual debe aportar siempre aquello que tiene, recordando que lo que tiene es un don de Dios.

Oración: Señor, gracias porque tú eres el dador de todos los dones que tenemos. Gracias porque ninguno somos completos ni perfectos para que no nos hagamos arrogantes ni orgullosos. Tú quieres que todos cooperemos con lo que tenemos para el bien y la felicidad de todos. Enséñanos a dar lo que tenemos y a reconocer y agradecer lo que otros tienen y aportan. Amén.

43

EL AMOR ES EL MEJOR PEGAMENTO

Pero sobre todas estas cosas, vestíos de amor, que es el vínculo perfecto (Colosenses 3:14).

Verdad a enseñar: El amor es como el pegamento o el cemento, conserva a las personas unidas.

Objetos: Algunas hojas de papel sueltas, un libro encuadernado en rústica y pegamento.

¿Verdad que es bonito estar todos juntos? A mí me da mucho gusto que podamos estar hoy aquí todos juntos, porque hay mucha bendición en la experiencia de estar unidos. El Salmo 133:1 dice: "¡He aquí, cuán bueno y cuán agradable es que los hermanos habiten juntos en armonía!" Yo quisiera preguntaros si sabéis vosotros qué es lo que nos une a nosotros aquí. (*Esperar respuestas.*)

Aquí tengo unas hojas de papel que son buenas para escribir o pintar. Cada una de ellas es como una persona, como vosotros y yo. Son individuales, están separadas, si las suelto cada una se va por un lado, pues no hay nada que las mantenga unidas. Algunas personas son así, siempre están solas y separadas de los demás, nada las mantiene juntas y unidas. Eso es triste y malo.

Pero aquí tengo algo más (*sacar el libro*). ¿Qué es esto? Sí, es un libro. Un libro se caracteriza porque todas las hojas de papel están juntas y bien unidas. ¿Cómo se logra esto? Mediante el pegamento que las encuaderna.

¿Creéis que podemos hacer eso con vosotros? ¿Os puedo coser con hilo o poneros pegamento para que así estéis todos bien juntos y unidos? No, no podemos hacer eso con las personas, pues somos diferentes de las hojas de papel. Pero tenemos algo que es mucho mejor que el pegamento. ¿Sabéis que es? ¿Sabéis que es lo que hace que una familia permanezca unida? ¿Sabéis por qué los miembros de la iglesia tenemos tanto deseo de venir al templo y por qué nos sentimos unidos como una familia? El pegamento que une a los miembros de una familia y de la iglesia se llama *amor*. El amor, que es un don de Dios, es mucho más fuerte que el mejor de los pegamentos. Por eso queremos estar juntos, sin que nadie ni nada nos obligue, porque nos amamos unos a otros y deseamos vernos y estar unidos.

Oración: Señor, gracias porque somos hojas individuales pero no estamos separados, sino unidos como en un libro por el mejor pegamento del mundo. Tú nos unes y tu amor nos mantiene juntos. Gracias porque al amarnos tú nos enseñas a amarnos unos a otros. Ayúdanos a vivir en el vínculo perfecto del amor. Amén.

44

TU NO NECESITAS COLLAR NI CADENA

Y todo aquel que lucha se disciplina en todo. Ellos lo hacen para recibir una corona corruptible; nosotros, en cambio, para una incorruptible (1 Corintios 9:25).

Verdad a enseñar: Todos necesitamos control y freno, pero no exterior como el caballo o el perro. Lo mejor es el autocontrol, el dominio propio.

Objetos: Un collar y una cadena de perro.

¿Qué es esto? *(Mostrar el collar y la cadena.)* ¿Para qué sirve? *(Esperar respuestas.)* ¿Quién de vosotros ha tenido o tiene un perro? Al perro se le conoce como el amigo del hombre y es quizá el animal que está más unido e identificado con el hombre. Es especialmente amigo de los niños, sobre todo cuando son pequeñitos. Pero tenéis que tener mucho cuidado con los perros que van por las calles sueltos, pues pueden estar enfermos y si os muerden os pueden contagiar enfermedades muy peligrosas. ¿Sabéis cuál es una de las enfermedades que os puede contagiar un perro "rabioso"? Sí, la rabia.

Cuando sacáis a pasear vuestro perro, ¿qué hacéis con él? *(Esperar respuestas.)* Le ponéis el collar y la cadena, ¿verdad? ¿Por qué? Porque a veces se descontrolan, echan a correr y se pierden. Al perro no le gusta mucho que le aten, pero es necesario. Lo necesita porque no tiene conocimiento ni autocontrol. Hace lo que quiere hacer.

Eso también a veces nos sucede a las personas, especialmente a los más pequeños. Los papás les dicen que no se separen de los mayores ni echen a correr por la calle, yéndose lejos y, sobre todo, que no crucen la calle. Y a veces, en cuanto se descuidan, echan a correr y se van. También sucede en el templo y por eso hay que recomendaros que os estéis quietos y que no salgáis ni entréis tantas veces. ¿Qué os parece si compramos un collar y una cadena para cada uno de vosotros? ¿Os gustaría? Así quizá los papás no tendrían tantos sustos cuando vais por la calle. Yo sé que no os gustaría que os pusieran el collar y la cadena como si fuerais perritos. Para que no suceda tenemos que aprender a tener dominio propio.

La razón por la que los papás os educan y os enseñan muchas cosas, y os corrigen cuando hacéis las cosas mal, es para que seáis disciplinados y tengáis dominio propio. Así aprendéis a hacer las cosas bien por vosotros mismos sin que nadie os vigile ni controle. Y por eso también disponemos de leyes y policías.

Los hijos de Dios no precisan collares, cadenas ni policías, porque al tener a Dios en el corazón tenemos el mejor freno y control del mundo. El fruto del Espíritu es dominio propio.

Oración: Señor, gracias porque no necesitamos collar y cadena como los perritos que no tienen conocimiento ni control. Te tenemos a ti en el corazón y tú nos enseñas dominio propio y eres nuestra mejor protección y ayuda. Amén.

45

EL PODER DE LA SAL

Vosotros sois la sal de la tierra... (Mateo 5:13).

Verdad a enseñar: Los hijos de Dios con sus vidas cristianas son tan esenciales para la humanidad, para preservar y dar sabor, como lo es la sal para la vida.

Objetos: Un bloque de sal, un salero con sal y un pescado o carne salada.

¿Quién sabe qué es esto que tengo aquí? (*Mostrar los objetos y esperar respuestas.*) Esto que parece una piedra es un bloque de sal. A los animales en el campo les gusta buscarla y lamerla. ¿Sabéis por qué? Porque los animales y los seres humanos necesitamos un poco de sal en nuestro organismo. Por eso empleamos la sal en nuestras casas para cocinar. Pero además de necesitar un poco de sal, la usamos para dar sabor a los alimentos. Muchos de los alimentos no tienen buen sabor sin sal. Y esto último que tengo aquí (*mostrar el pedazo de carne o pescado salado*), es alimento salado. Ya hace más de un año que se preparó así con sal, pero está bueno y lo podemos comer sin temor de enfermarnos porque la sal evita que se estropee.

¿Sabéis de dónde procede la sal que usamos? De minas de sal o del agua del mar. ¿Quién de vosotros ha bebido alguna vez sin querer un poco de agua de mar? ¿Verdad que no está buena, que está muy salada? Dios lo hizo así para que el agua estancada del mar no se corrompa y los seres vivos del mar no mueran. El bloque de sal procede de la tierra, pero el resto de la sal procede generalmente del agua del mar.

Así que la sal es muy importante para la vida en la tierra. El poquito de sal que necesitamos en nuestro organismo nos ayuda a conservar la vida y la salud. La sal también nos sirve para dar buen sabor a los alimentos y para evitar que se estropeen.

En aquellos días en los que Jesús vivió en la tierra ya conocían la importancia y el uso de la sal. Seguramente que Pedro, Andrés, Juan y Santiago, que eran pescadores, usaban la sal para evitar que el pescado se les echara a perder.

Jesús lo sabía y seguramente comió alimentos conservados con sal. Por eso usó la ilustración de la sal para enseñar a sus discípulos que ellos eran tan valiosos y tan necesarios como la sal. Los hijos de Dios con su buen testimonio en la tierra ayudan a que la vida y las relaciones entre los hombres se conserven y tengan buen sabor.

Cuando las personas hacen lo malo es como cuando el gusano aparece en los alimentos, todo se estropea y se pierde. Pero los hijos de Dios procuran, con la ayuda del Señor, hacer lo bueno, y eso es como poner sal en la carne o en el pescado, para evitar que se corrompa y se descomponga. Cuando actuamos bien somos como la sal. Por eso Jesús decía: "Vosotros sois la sal de la tierra. . ."

Oración: Señor, gracias porque tú hiciste la sal para nuestro bien. Gracias también porque tú dices que nosotros somos como la sal. Ayúdanos a todos, especialmente a estos niños a que en la escuela o en la calle sean como la sal, conservando las relaciones siempre buenas y dándoles buen sabor. Amén.

46

INJERTADOS EN CRISTO

Yo soy la vid, vosotros las ramas. El que permanece en mí y yo en él, éste lleva mucho fruto. Pero separados de mí, nada podéis hacer (Juan 15:5).

Verdad a enseñar: Para ser cristianos necesitamos a Cristo.

Objeto: Una rama con hojas y pámpanos cortada de una vid o parra, que tenga señales evidentes de que está muriendo, para mostrar que separada del tronco no puede tener vida.

¿Habéis visto qué bonitos están los árboles frutales cuando están llenos de fruto? ¿Habéis comido la fruta arrancándola vosotros del árbol cuando está madura? ¡Está deliciosa! ¿Sabéis de dónde procede esta rama? Sí, es de una vid o parra. ¿Cómo se llama el fruto? Uvas.

¿Sabéis qué le pasa a esta rama? *(Esperar respuestas.)* Sí, está muriendo. ¿Por qué? *(Esperar respuestas.)* Porque está separada del tronco. ¿Cómo se alimentan las ramas de los árboles? Lo hacen mediante la savia (sangre) que sube por el tronco desde las raíces y llega a todas las ramas del árbol. Las ramas no tienen vida en sí mismas, dependen completamente de las raíces y del tronco. Estos le proporcionan todo lo que necesitan para vivir, crecer y dar fruto.

Esta rama tan hermosa, tan llena de hojas y de pámpanos, era muy prometedora. Pero todo se ha perdido porque no está unida al tronco. Para salvarla tendríamos que injertarla otra vez en el tronco de donde fue cortada. Jesús dijo una vez que eso también sucede con los creyentes. El dijo que nosotros somos como ramas y él es como la vid. Si estamos unidos a él tendremos vida y llevaremos mucho fruto, pero si estamos separados de él, como esta rama lo está de la vid, nos secaremos y moriremos por dentro. No podemos ser cristianos sin estar unidos a Cristo.

¿Cómo podemos estar unidos a Jesús? *(Esperar respuestas.)* Sí, mediante la fe, la lectura de la Biblia y la oración. La lectura de la Biblia y la oración son como los tubos (venas) por donde nos llega el alimento que nos da fuerzas para crecer y producir fruto.

¿Qué pasa si estos tubos están rotos? ¿Podemos los cristianos tener buena salud espiritual si nunca leemos la Biblia ni oramos al Señor? No, no podemos. Seríamos como ramas arrancadas que ya no reciben la savia del árbol y terminan muriendo. ¿Qué clase de cristiano quieres ser tú? ¿Quieres ser como esta rama muerta? (*Esperar respuestas.*)

Oración: Gracias, Señor Jesús, porque tú eres para nosotros la fuente de todo sostén, alimento y poder espirituales. Ayúdanos a estar siempre injertados en ti mediante la fe, la lectura de las Escrituras y de la oración. Queremos ser ramas vivas y que llevan mucho fruto. Amén.

47

¡CUIDADO CON LAS MALAS COMPAÑIAS!

No os dejéis engañar: "Las malas compañías corrompen las buenas costumbres" (1 Corintios 15:33).

Verdad a enseñar: Debido a la gran influencia que tienen sobre nosotros, es muy importante elegir buenos amigos.

Objetos: Frutas que se estropean y enmohecen con facilidad (pueden ser fresas o uvas). Comprarlas con antelación para darles tiempo a que se enmohezcan. Ponerlas juntas en un cuenco de cristal para que se puedan ver bien y observar cómo el moho se extiende por todas partes. Conservar algunas en buen estado guardándolas en el refrigerador.

¿Os gusta la fruta? ¿Qué fruta te gusta más a ti? (*Preguntar a varios y esperar respuestas.*) Tengo una sorpresa para vosotros. He comprado un poco de fruta y la he traído para vosotros. (*Tener el cuenco de cristal tapado, sacarlo ahora y mostrárselo a los niños.*) ¡Oh, mirad lo que ha pasado con la fruta! ¿Qué ha sucedido? (*Esperar respuestas.*) Sí, se ha estropeado, se ha enmohecido toda. Esto quiere decir que dejé las fresas fuera del refrigerador mucho tiempo y se han enmohecido. Seguramente que empezó con una y se pasó a todas.

Pero no os quedaréis sin comer fresas porque aquí tengo más en esta bolsa. Lo que voy a hacer es ponerlas todas juntas para que estas buenas curen a las malas. ¿Os parece bien? ¿Lo hago? *(Esperar respuestas.)* ¿No? ¿Por qué? *(Esperar respuestas.)* Sí, creo que tenéis razón. Si pongo las buenas junto con las malas lo que va a suceder sin lugar a dudas es que todas se van a echar a perder, porque el moho se extenderá por todas partes. Las buenas no se mantendrían bien si las juntamos o mezclamos con las malas.

Y así sucede también con las personas. Las personas buenas terminan haciéndose malas cuando se hacen amigas de gente mala y están con ellas bastante tiempo. El mal se contagia mucho, de igual manera que el moho se extiende por todas partes entre las frutas que están juntas. La Biblia nos advierte acerca de esta gran verdad, diciéndonos *(leer de la Biblia):* "Las malas compañías corrompen las buenas costumbres."

Por ejemplo, pensemos que vosotros no tenéis la costumbre de decir malas palabras ni de contar mentiras, pero tenéis un compañero en la escuela o en la calle que sí lo hace. Al principio sus hábitos y costumbres os sorprenden y os ofenden, no os gusta su manera de ser ni de comportarse, pero al estar mucho tiempo jugando y conviviendo con ese amiguito poco a poco os vais acostumbrando y termináis por no darle importancia. Antes de que os deis cuenta ya estáis hablando y actuando como él lo hace. Vuestro "amigo" os ha contagiado de sus malos hábitos y costumbres. Sucedería con vosotros lo mismo que con las fresas, el moho las ha invadido y las ha destruido.

Dios quiere que crezcáis sanos, fuertes y limpios en todo: cuerpo, mente y espíritu. Para lograrlo tenéis que cortar con las malas compañías. Cuando elijáis amigos, es decir, personas con las que vais a estar mucho tiempo juntos, pensad en lo que Dios dice. Alejaos de los niños que tienen la costumbre de decir malas palabras, que pelean, que responden mal a sus padres, que dicen mentiras, que quitan cosas. Porque vosotros no queréis terminar como estas fresas enmohecidas. ¿O sí queréis? Más bien creo que queréis ser como estas fresas sanas y buenas. ¿Es así?

Oración: Señor, gracias por tu Palabra que nos avisa de las consecuencias del mal. Gracias porque Jesús es nuestro mejor amigo, un amigo que nunca nos falla ni nos hace daño. Ayúdanos a saber escoger buenos amigos para que nos vaya bien en la vida. Amén.

48

SOMOS COMO LAPICES CON BORRADOR

Esconde tu rostro de mis pecados y borra todas mis maldades (Salmo 51:9).

Por tanto, arrepentíos y convertíos para que sean borrados vuestros pecados (Hechos 3:19a).

Verdad a enseñar: Todos cometemos errores y necesitamos perdón.

Objetos: Lápices de varios tamaños y colores (los de la raza humana) con borrador.

Hoy he traído algo que a todos nos gusta usar mucho. ¿A que no lo adivináis? *(Esperar respuestas.) (Mostrarlo.)* ¿Qué son estos? Sí, lápices. ¿Para qué sirven? Sí, para dibujar, hacer cuentas, escribir. A vosotros, ¿qué os gusta más, dibujar o escribir?

Y esto que tiene aquí el lápiz, ¿qué es? *(Señalar al borrador.)* ¿Para qué lo usamos? Sí, para borrar lo que hacemos mal. ¿Os equivocáis vosotros muchas veces cuando dibujáis o escribís. Yo sí me equivocaba bastantes veces cuando iba a la escuela. A mí se me gastaba antes el borrador que el lápiz. Los lápices con borrador se venden mejor, las personas los prefieren con borrador porque son conscientes de que se van a equivocar y hacer algunas cosas mal.

¿Verdad que los lápices se parecen a las personas? Mirad estos que tengo aquí *(mostrarlos)*. Veis que son de distinto tamaño y color. Algunos son largos y otros cortos o medianos. Así somos las personas. Además, somos de distinto color en nuestra piel. Algunos son blancos, otros negros, marrones, amarillos y así. Cerrando los ojitos y con un poco de imaginación podemos ver a Toño, Paco, Pepe y otros amiguitos en estos lápices.

Pero, además, hay otro detalle en el que nos parecemos las personas y los lápices, es en el borrador. Como hemos dicho, el borrador acompaña al lápiz para corregir y borrar los errores que se cometen. Las personas no somos perfectas, todos nos equivocamos, y por eso necesitamos borradores. Recordad que la Biblia llama pecado a las equivocaciones de los hombres.

¿Sabéis cuál es la cosa más difícil para las personas? *(Esperar respuestas.)* El reconocer nuestros errores y equivocaciones y pedir perdón por ellos. El rey David hizo una vez una cosa mala, y le costó un poquito darse cuenta de ello y pedir perdón. Pero no se sintió bien ni pudo descansar hasta que reconoció el mal que había hecho y pidió perdón a Dios. ¿Os pasa a vosotros también que no os sentís bien hasta que pedís perdón por vuestros pecados? A mí sí me sucede. Después de aquella experiencia el rey David escribió el Salmo 51. *(Leer en la Biblia Salmo 51:1, 9; Hechos 3:19.)*

Dios ha prometido en su Palabra que él borra nuestros pecados en cuanto le pedimos perdón. La sangre de Jesucristo borra nuestros pecados mucho mejor que el borrador borra nuestros errores en el papel.

Oración: Señor, cada vez que vemos el borrador en el lápiz recordamos que cometemos errores y que tenemos que corregirlos. También sucede así con nuestros pecados. Pero sabemos que tú nos amas y deseas perdonarnos. Te pedimos perdón por nuestros pecados. Cumple ahora tu promesa y que la sangre de tu Hijo Jesucristo nos limpie de toda maldad. Amén.

49

SEAMOS COMO EL BARRO

Pero ahora, oh Jehovah, tú eres nuestro Padre. Nosotros somos el barro, y tú eres nuestro alfarero; todos nosotros somos la obra de tus manos (Isaías 64:8).

Verdad a enseñar: Dios piensa en nosotros y quiere moldear nuestras vidas haciendo la mejor obra con nuestro barro.

Objetos: Barro o plastilina para moldear y hacer diferentes figuras. Una vasija de barro ya terminada.

¿Os gusta trabajar con el barro o la plastilina? ¿Lo habéis hecho alguna vez en la escuela o en casa? ¿Yo sí lo hice y me gustaba mucho. ¿Verdad que es muy divertido e instructivo?

¿Veis que el barro (o plastilina) es blando y moldeable? Gracias a eso se puede trabajar con él y hacer toda clase de figuras. Os voy a dar a cada uno un poco de barro (o plastilina) y en un minuto tenéis que hacer una figura que se os ocurra. (*Darles ideas sencillas y rápidas de realizar para que no se demoren pensando en qué hacer, tales como hacer una serpiente, un anillo, una pulsera, una moneda, etc. La fantasía e imaginación de los niños suplirá los detalles que falten.*)

¿Sabéis cómo se llaman los obreros que trabajan con el barro? (*Esperar respuestas.*) Sí, se llaman alfareros. ¿Sabéis qué cosas hacen? Vasijas de barro tales como cazuelas, botijos, floreros. Primero amasan el barro (*hacerlo*), luego van formando con sus manos el objeto que tienen en mente, después lo cuecen para que se endurezca, y por fin lo pintan y lo decoran. Al final queda un trabajo bonito y bien hecho, como este que tengo aquí. (*Mostrar la vasija que llevó.*)

La Biblia dice (*leer*) que todos nosotros somos como barro en las manos de Dios. ¿Queréis vosotros ser en las manos de Dios como este barro es en las vuestras? El no quiere jugar con vosotros, sino hacer de vuestras vidas algo realmente precioso. ¿Qué quisieras que Dios hiciera contigo? El podría hacer de ti un buen médico, pastor, misionero, maestro, carpintero, mecánico, enfermera, etc. Pero hay que tener mucho cuidado con el barro. ¿Sabéis qué pasa si el barro se seca? Pues que se pone duro y ya no se puede trabajar con él. Por esa razón Dios quiere trabajar con nosotros principalmente cuando somos jovencitos, barro blando, porque cuanto más mayores nos hacemos más duro se pone el barro y más difícil se hace el trabajarlo.

Oración: (Usar como oración la primera estrofa del Himno 359 del Himnario Bautista. Pueden cantarlo si lo desean.)

"Haz lo que quieras de mí, Señor;
Tú el Alfarero, yo el barro soy;
Dócil y humilde anhelo ser;
Pues tu deseo es mi querer."

50

VOSOTROS SOIS LA LUZ DEL MUNDO

Así alumbre vuestra luz delante de los hombres, de modo que vean vuestras buenas obras y glorifiquen a vuestro Padre que está en los cielos (Mateo 5:16).

Verdad a enseñar: Somos la luz del mundo, pero solamente Dios puede darnos el poder para ser esa luz.

Objetos: Una linterna con baterías y una lámpara portátil con cable para poder enchufarlo a la corriente eléctrica.

¿Qué es esto? *(Mostrar los dos objetos.)* Sí, esto es una linterna. Como podéis ver, es grande, buena y bonita. Me ayuda mucho cuando tengo que hacer cosas durante la noche. Es muy conveniente tener siempre una en casa. Pero aquí tengo también esta lámpara portátil. Esta no puede alumbrar por sí misma, la linterna sí porque tiene baterías. Pero ésta tiene que estar conectada con la corriente eléctrica.

¿Cuál de estas dos es la que al final resulta mejor y sirve mejor? Vamos a suponer que la linterna y la lámpara pueden hablar y que se dicen la una a la otra: *Linterna:* "Yo soy mejor que tú porque yo puedo ir a donde quiera. Mi fuerza está dentro de mí misma. Tú siempre estás sujeta al mismo sitio y dependes completamente del cable y del enchufe que te conecta a la electricidad."

¿Quién pensáis que ganará? ¿Quién se reirá el último? *(Esperar respuestas.)* La linterna puede lucir por un poco de tiempo, pero pronto se agota. La lámpara, por el contrario, durará muchísimo más y es, además, más potente.

Jesús dijo que nosotros somos como luces y que debemos lucir para que otros puedan ver las obras de Dios en nosotros y así el Señor sea glorificado (*leer Mateo 5:16*).

Nuestras vidas son como luces. Pero si somos una luz como la de la linterna, aunque parezcamos muy grandes, buenas y bonitas como esta que yo tengo, pronto nos agotaremos, porque no podemos hacer mucho con nuestras propias fuerzas. El verdadero poder viene de Dios (Hechos 1:8). Si de verdad estamos conectados, como la lámpara, a la fuerza eléctrica que es inagotable, daremos luz continua y potente.

¿Cómo queréis ser vosotros, como la linterna o como la lámpara? (*Esperar respuestas.*) ¿Cómo podemos estar conectados con Cristo Jesús? (*Esperar respuestas.*) Sí, una forma de hacerlo es mediante la fe, y la lectura de la Palabra de Dios y la oración. Seréis sabios si preferís ser siempre como la lámpara y estar conectados con Cristo Jesús, que es quien posee todo el poder y todos los recursos espirituales que necesitamos.

Oración: Señor, gracias porque tú nos llamas a ser luces en este mundo de oscuridad e ignorancia. No queremos caer en el orgullo y la vanidad de que nuestra batería es suficiente. Ayúdanos a estar conectados contigo cada día mediante la lectura de tu Palabra y la oración. Amén.

51

DIA DE ACCION DE GRACIAS

Dad gracias en todo, porque ésta es la voluntad de Dios para con vosotros en Cristo Jesús (1 Tesalonicenses 5:18).

Verdad a enseñar: Seamos agradecidos a Dios por todas sus bendiciones, y seamos canales de bendición para los demás.

Objeto: Una caja de sobres para la ofrenda para todo el año.

¿Sabéis que es esto? *(Mostrar la caja de sobres para la ofrenda.)* Sí, son los sobres que usamos cada domingo para traer nuestras ofrendas al Señor. La ofrenda es nuestra manera de darle gracias al Señor y de cooperar con él para que otros también reciban bendición.

¿Recordáis qué fiesta celebramos en esta semana? Sí, el día de Acción de Gracias. Es una fiesta bonita y de mucha enseñanza. ¿Sabéis cómo comenzó la fiesta? *(Esperar respuestas.)* El verdadero origen de la fiesta está en el Antiguo Testamento, es parte de las celebraciones que Dios mandó a su pueblo Israel. En realidad muchos pueblos llamados cristianos han celebrado, o siguen celebrando, esta fiesta de distintas maneras a lo largo de la historia, para dar gracias a Dios por las cosechas y otras bendiciones.

Un día un niño preguntaba a su papá por qué se celebraba la fiesta de Acción de Gracias y por qué en muchos sitios se recogía una ofrenda en ese día. Ese niño preguntaba mucho y preguntando aprendía muchas cosas.

Aquel año la ofrenda era para un hogar de niños que no tenían papás. ¿Cómo se les llama a los niños que no tienen papás? Sí, huérfanos. Aquel niño quería aportar su ofrenda, pero no sabía cómo porque no tenía dinero. De pronto tuvo una idea.

Recordó que un año cuando se le cayó un diente, su papá le había dicho que cuando se fuera a dormir lo pusiera debajo de la almohada y viera a la mañana siguiente lo que había pasado. Así lo hizo y tuvo la sorpresa de encontrar que el diente había desaparecido, pero en su lugar había una moneda.

Recordando esto, ¿sabéis qué pensó hacer aquel niño? Recordó que se le movía otro diente y pensó que quizá él podría ayudar a que se moviera más de prisa, así se le caería antes y conseguiría otra moneda. Lo pensó y lo hizo, pero no se lo dijo a nadie.

¿Sabéis qué hizo después? Se fue al baño y allí, subido en una silla, se miró en el espejo y se tocó el diente que se movía. Estaba un poco duro todavía, pero con unos pocos días trabajándole se aflojaría y al fin se caería. Y así sucedió. Al fin se movió lo suficiente para que su papá le terminara de arrancar el diente. Le dolió un poquito y le salió un poquito de sangre, pero como era fuerte y valiente lo aguantó. Aquella noche puso el diente debajo de la almohada y a la mañana siguiente encontró en su lugar una moneda reluciente.

Luego fue a su mamá y le pidió un sobre de ofrenda (*mostrarlo*) para meter su moneda y entregarla como ofrenda para los niños huérfanos en el día de Acción de Gracias. La mamá le preguntó:

—¿No es esta tu moneda por el diente que se te cayó?

—Sí —respondió el niño—, pero yo quiero darla como ofrenda para el hogar de niños huérfanos.

Yo no digo que vosotros os quitéis un diente para conseguir dinero para ofrendar, no quiero tener problemas con vuestros papás. Pero sí digo que debemos estar dispuestos a hacer nuestro mejor esfuerzo y presentar nuestra mejor ofrenda al Señor.

¿Sabéis cuál sería vuestra mejor ofrenda al Señor y la mejor manera de darle gracias? (*Esperar respuestas.*) Dios nos dice en su Palabra: "Dame hijo mío tu corazón." ¿Qué es darle el corazón a Cristo? ¿Cómo podemos hacerlo? (*Esperar respuestas.*) Sí, amándole, obedeciéndole, ayudándole.

Oración: Señor, celebramos el día de Acción de Gracias para alabarte y agradecerte por tus bendiciones, especialmente por la salvación en Cristo Jesús. Acepta el corazón de estos niños como su mejor ofrenda de amor. Amén.

52

CRISTO ES EL AGUA DE VIDA

Si alguno tiene sed, venga a mí y beba (Juan 7:37b).

Cualquiera que beba del agua que yo le daré, nunca más tendrá sed (Juan 4:14a).

Verdad a enseñar: De la misma manera que nuestra vida depende del agua natural que bebemos, así también nuestra vida eterna depende de Cristo, el agua viva.

Objetos: Dos flores naturales. Una metida en agua en un vaso, y la otra sin agua, secándose. Un balde para agua.

¿Sabéis cuánto tiempo podéis vivir sin beber nada de líquido, agua, leche, zumos? *(Esperar respuestas.)* Solamente tres días. El agua es muy importante para la vida, sin ella moriríamos pronto. La mayor parte de nuestro peso corporal es agua. Si yo os pudiera sacar toda el agua que hay en vuestro cuerpo, seguro que llenaba este balde con ella. Por eso es tan importante beber bastante agua, especialmente en el verano, cuando hace tanto calor. El agua fresquita es la mejor bebida que podemos tomar y debemos tomar varios vasos al día.

Para mostraros esta verdad y para que veáis ilustrada la importancia del agua, corté ayer estas dos flores de mi jardín. *(Mostrar la flor secándose, casi muerta, y la otra todavía viva metida en el vaso con agua.)* Veis que una está todavía fresca y viva y la otra está casi muerta. ¿Sabéis por qué? Todo se debe al agua. Así podéis ver que el agua es esencial para la vida.

El Señor Jesús lo sabía muy bien y por eso él se comparó con el agua. El dijo *(leer en la Biblia)*: "Si alguno tiene sed, venga a mí y beba" (Juan 7:37b). El tiene un agua que quita la sed para siempre.

Pero él no está hablando de la sed de nuestro cuerpo ni del agua que tomamos para satisfacer nuestra sed física. El está hablando de otra clase de sed y de otra clase de agua mucho más importantes. ¿Acerca de qué estaba él hablando? *(Esperar respuestas.)* Sí, él estaba hablando de la sed de nuestras almas, de nuestros corazones. Nuestra alma también tiene sed. *(Leer si es oportuno y hay tiempo el Salmo 42:1, 2a.)*

Cuando Jesús dice que él es el agua viva quiere decir que sólo él nos puede dar vida eterna. El agua que él nos da no es el agua que mantiene viva a esta flor; su agua es el perdón de nuestros pecados y el don de la vida eterna. Cuando yo digo: "Creo que Jesús murió por mis pecados", estoy realmente bebiendo del agua que él ofrece.

Sin Cristo seríamos como esta flor seca y muerta, está así porque no tiene el agua de vida. Pero cuando bebemos del agua que Cristo nos da somos como esta otra flor *(mostrar la flor viva metida en agua)*, que está tan viva y hermosa porque bebe del agua de vida.

Al igual que nosotros bebemos cada día varios vasos de agua para poder mantener nuestros cuerpos sanos y vivos, así también debemos beber cada día del agua que Cristo nos ofrece para estar tan vivos y hermosos como esta flor lo está. ¿Cómo podemos beber del agua de Cristo? Podemos hacerlo mediante la lectura de la Palabra de Dios, obedeciéndola, y estando en comunión con él por medio de la oración.

Oración: Señor, gracias porque nos das abundantemente del agua viva y preciosa que conserva la vida. Gracias también porque en Cristo siempre podemos satisfacer plenamente la sed de nuestra alma. Ayúdanos a beber cada día en él mediante la lectura de la Biblia y la oración. Amén.

53

¿COMO ES DIOS?

Señor, muéstranos al Padre, y nos basta. Jesús le dijo: . . .El que me ha visto, ha visto al Padre (Juan 14:8, 9b).

Verdad a enseñar: Podemos saber cómo es Dios porque Cristo Jesús es la fotografía del Padre. (Mediante este mensaje nos proponemos corregir en la mente de los niños la posible idea equivocada de que Dios es alguien distante, duro, enojado y siempre dispuesto a castigar.)

Objetos: Dos dibujos. Uno de Cristo y otro del diablo, o de un personaje de gesto duro y enojado.

Cuando recordáis a alguien que conocéis, ¿verdad que aunque no esté presente le podéis ver? Sí, es exactamente así. Cerramos los ojos, pensamos en él o en ella y podemos verle exactamente como es, cuando ríe o cuando está serio, o cuando llora.

Hagamos una prueba. Cerremos los ojos todos, pensemos en nuestra mamá o en alguien que amamos y tratemos de recordarla. Saquemos del archivo de nuestra mente la fotografía que tenemos de ella allí. ¿Verdad que la podéis ver?

Lo mismo sucede con Dios. Le conocemos por medio de la fotografía que aparece de él en la Biblia y podemos hablar con él por medio de la oración.

Cuando tú hablas con Dios y piensas en él, y lo ves por medio de tu mente e imaginación, ¿cómo es Dios para ti? *(Sacar en este punto los dibujos de Cristo y del diablo. Aclarar que estas son sólo ideas. No tenemos una fotografía real de Jesucristo o del diablo.)* Cuando visualizas con tu mente a Dios, ¿cómo es él, así *(dibujo de Cristo)* o así *(dibujo del diablo)*?

Dios es como nos lo enseña Jesús. Uno de sus discípulos le dijo una vez *(leer en la Biblia)*: "Señor, muéstranos al Padre, y nos basta. Jesús le dijo: . . .El que me ha visto, ha visto al Padre." Dios no es alguien con gesto duro y cara de enojado o de mal humor, y dispuesto a castigarnos en cuanto nos movemos o equivocamos. Dios es amor y es justo, es misericordioso y compasivo. Siempre podemos ir a Dios con confianza en la seguridad de que él nos recibe y nos presta atención con amor.

¿Habéis sentido vosotros miedo alguna vez al pensar en Dios y, en consecuencia, habéis evitado buscarle y hablar con él mediante la oración? Nunca temáis. Dios no es un ogro terrible, siempre enojado y con ganas de castigar. Dios es como Cristo nos lo mostró en su persona y enseñanzas. Dios es así *(dibujo de Cristo)*, nunca así *(dibujo del diablo)*.

Pero nosotros también somos fotografías de Cristo. Jesús es la fotografía de Dios el Padre y nosotros lo somos de Cristo. Cuando la gente piensa en Cristo piensa en nosotros. Por eso a los primeros discípulos los llamaron cristianos, porque hablaban y actuaban como Cristo, se parecían a él en todo. Cuando la gente nos mira, ¿ven en nosotros la fotografía de Cristo que aparece en los Evangelios?

Oración: Nuestro buen Dios, gracias porque te conocemos mediante la fotografía que tu Hijo Jesucristo nos ha dejado de ti en la Biblia. Gracias porque tú eres amor y te gusta mucho que te hablemos. Ayúdanos a recordar siempre que tú no eres feo ni nos rechazas nunca. Ayúdanos también a recordar que las personas conocen a Cristo mediante nuestro testimonio. Que Cristo se vea en nosotros tal como de verdad es. Amén.

54

CONCENTRACION SIGNIFICA VICTORIA

Despojémonos de todo peso y del pecado que tan fácilmente nos enreda, y corramos con perseverancia la carrera que tenemos por delante, puestos los ojos en Jesús (Hebreos 12:1b, 2a).

Verdad a enseñar: No podemos hacer bien dos cosas a la vez, debemos concentrarnos en una sola y así alcanzaremos la victoria. Concentrémonos siempre en lo mejor.

Objetos: Una lupa y una hoja de papel.

¿Qué es esto? *(Mostrar la lupa.)* ¿Para qué sirve? *(Esperar respuestas.)* Sí, es una lente de aumento, una lupa con la que podemos ver más grandes los objetos. Algunas personas las usan para poder leer la letra pequeña. Pero quizá vosotros, al igual que yo cuando era pequeño, jugaba con una lupa para quemar papeles y otras cosas. ¿Sabíais vosotros que con una lupa podemos hacer arder un papel o quemar otras muchas cosas? ¿Lo habíais experimentado vosotros? ¿Sabéis por qué es eso posible? *(Esperar respuestas.)* Porque la lupa puede concentrar los rayos del sol en un solo punto y así se genera tanto calor que termina quemando lo que está debajo. Pero hay que dejar quieta la lupa; si estamos jugando con ella y la movemos de un sitio para otro, no quemaremos nada. El secreto está en concentrar los rayos del sol en un solo punto y esperar así un rato.

¿Qué nos enseña esto? Nos dice que cuando nos concentramos en hacer una sola tarea terminamos dominándola y realizándola.

Esto sucede en la escuela. Cuando la maestra dice que todos los niños van a leer, o a escribir, los niños aprenden mejor y más de prisa porque se concentran en una sola tarea. Pero cuando cada cual hace lo que quiere, así nadie aprende mucho ni progresan.

En la vida espiritual ocurre exactamente igual. Si en vez de poner nuestros ojos en Jesús y perseverar en la carrera cristiana, nos fijamos en otras cosas y nos entretenemos con ellas, el resultado es que no avanzamos mucho ni ganaremos el premio. Hay victoria y bendición cuando nos concentramos en una sola cosa y en ella perseveramos hasta terminarla.

Oración: Señor, gracias porque tú nos avisas de que no podemos hacer muchas cosas a la vez. Ayúdanos a saber elegir lo mejor y perseverar. Y lo mejor es siempre poner los ojos en Jesús y no apartarlos de él. Amén.

55

CRISTO ME AMA

Porque de tal manera amó Dios al mundo, que ha dado a su Hijo unigénito, para que todo aquel que en él cree no se pierda, mas tenga vida eterna (Juan 3:16).

Verdad a enseñar: Cantar es una de las mejores maneras de aprender acerca de Dios y de expresarle también nuestra devoción, amor y gratitud.

Objeto: Un himnario y copias para todos los niños de la primera estrofa y coro del himno "Cristo me ama".

¿Sabéis qué libro es este? (*Mostrar el himnario y esperar respuestas.*) Sí, es un libro de cantos que se llama himnario. ¿Para qué lo usamos? Para cantar himnos de alabanza y de adoración al Señor. ¿A vosotros os gusta cantar? A mí me gusta mucho, aunque no lo hago muy bien porque no tengo buen oído ni buena voz. Pero a pesar de todo canto para decirle al Señor cuán contento me siento de estar en el templo y cuánto le amo. ¿Os acordáis de algún corito que sepáis de memoria? (*Esperar respuestas.*)

¿Recordáis este himno que la organista está tocando ahora mismo? (*Que la pianista esté lista tocando suavemente el himno 511 del Himnario Bautista, "Cristo me ama", y que ahora lo haga más fuerte.*) Es uno de los himnos favoritos de los niños en todo el mundo. Además, proclama la verdad más grande que enseña la Biblia. ¿Cuál es esa verdad? (*Esperar respuestas.*) Sí, la verdad más grande de la Biblia es que Dios nos ama.

Este himno tan precioso lo tenemos en este libro que nos ayuda a cantar al Señor. Es el himno número 511. Cantarlo es una manera muy bonita de decirle al Señor: "Gracias porque nos amas, nosotros también te amamos a ti."

¿Os gustaría cantar este himno ahora mismo? ¿Sí? Pues vamos a hacerlo. (*Repartir a los niños las hojas de papel que contienen la primera estrofa y coro del himno.*)

> Cristo me ama, bien lo sé,
> Su Palabra me hace ver,
> Que los niños son de aquel,
> Quien es nuestro amigo fiel.
>
> Coro:
> Cristo me ama,
> Cristo me ama,
> Cristo me ama,
> La Biblia dice así.

¿Os ha gustado? (*Esperar respuestas.*) ¿Verdad que es bonito cantarle al Señor? Quedaos con los papeles y durante la semana aprended el himno de memoria. Lo cantaremos de nuevo el próximo domingo, pero sin papeles. El que mejor se lo sepa recibirá un premio.

Vamos a darle gracias al Señor por los himnos que cantamos, por todos aquellos que sirven en el ministerio de la música y por el gozo de cantar y de hacerlo juntos.

Oración: Amado Padre, gracias por la música y los himnos tan preciosos que cantamos. Nos sentimos muy felices cantando. Gracias por todos los que componen himnos y por los que tocan la música y los que nos enseñan a cantarlos. En el nombre de Jesús. Amén.

INDICE DE TEXTOS BIBLICOS

INDICE DE TEMAS

Otros libros de

Casa Bautista de Publicaciones

y de

Editorial Mundo Hispano

44007—*Objetos que enseñan de Dios.* Cecilio y María de McConnell. Mensajes para niños, usando objetos comunes.
978-0-311-44007-8
112 páginas

44010—*Dedito y sus hermanos aprenden de la Biblia.* Cecilio McConnell y Grace McConnell de Alarcón. Setenta y nueve historias para ser usadas en grupos de niños.
978-0-311-44010-8
192 páginas

38658—*Los niños demandan un veredicto.* Josh McDowell y Kevin Johnson. Respuestas sólidas y claras a 77 preguntas fundamentales. Equipa a los padres para empezar desde temprana edad la tarea de profundizar y guiar las convicciones de sus hijos.
978-0-311-38658-1
192 páginas

11064—*El maestro como consejero.* James E. Taulman. Además de enseñar, aconseje. (Anteriormente titulado *Comprender y aconsejar*). Orientaciones prácticas en cuanto a cómo responder a situaciones diarias y críticas de sus alumnos y de otros.
978-0-311-11064-3
96 páginas

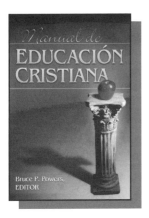

11062—**Manual de educación cristiana.**
Bruce P. Powers, editor. Provee principios
básicos así como una guía práctica para la
administración de los programas educativos
de la iglesia.
978-0-311-11062-9
336 páginas

11601—**Dinámi-
cas. Actividades
para el proceso
de enseñanza-
aprendizaje.**
Sonia Rodríguez y Gilberto
Quiñones. Más de 140
actividades para grupos de jóvenes.
978-0-311-11601-0
160 páginas

43030—**Sermones que cautivan a los
niños.** Beth Edington Hewitt. Mensajes para
niños. Son dinámicos y capturan el corazón
y mente de niños y de adultos. Para ser usados
durante el culto de adoración de la iglesia.
978-0-311-43030-7
208 páginas

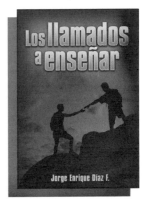

11699—**Los llamados a enseñar.**
Jorge E. Díaz. Este libro provee los pasos para
llegar a ser un excelente maestro de la Biblia.
Incluye ayudas para la selección de
actividades para la enseñanza de
actitudes, valores y principios.
978-0-311-11699-7
160 páginas

48371—***Biblioteca electrónica para el maestro.*** Una compilación de 35 recursos para maestros. Son para edificación personal, para entrenamiento en áreas de liderazgo, de discipulado, para la superación, y para ayudar a los nuevos maestros en el arte de enseñar.

Algunos de los recursos que vienen en el CD:

• Dos versiones de la Biblia: RVA y NVI.
• Jesús el maestro
• Aprenda a ser líder
• Cómo enseñar la Biblia
• La reproducción espiritual
• Metodología pedagógica
• Pedagogía fructífera
• Ocúpate en enseñar

978-0-311-48371-6

11048—***Bases para la educación cristiana.*** Hayward Armstrong. Bases teológicas, bíblicas, psicológicas, socioculturales e históricas. Escrito en el contexto hispano.
978-0-311-11048-3
192 páginas

11041—***Pedagogía fructífera.***
Edición actualizada y ampliada.
Findley Edge. Principios pedagógicos para la enseñanza eficaz de la Biblia.
978-0-311-11041-4
272 páginas